Les Romantics

Leah Konen

Les Romantics

Traduit de l'anglais (États-Unis)
par Sophie Passant

Ce livre est dédié aux romantiques du monde entier
– vous vous reconnaîtrez.
Surtout, continuez de croire en l'amour.
(Nous dépendons tous de votre optimisme.)

Quelques mots d'amour

Non, non, soyons précis ! Il ne s'agit pas de quelques mots « d'amour », au sens où il serait question de parler de *lui*, mais bien de quelques mots énoncés *par* lui-même. C'est-à-dire *moi*.

Je suis l'Amour. En personne. Votre humble et fidèle narrateur. Sans cesse invoqué (généralement à tort), souvent imité, jamais reproduit. En un mot : unique, et pourtant, le plus souvent, incompris.

C'est la raison pour laquelle, abandonnant mon voile de mystère, j'ai décidé de m'adresser directement à vous. Pour vous conter une histoire.

Une histoire d'amour, naturellement. Mais attention, une *véritable* histoire d'amour – une histoire dans laquelle je suis réellement impliqué.

Avant de commencer, quelques petites précisions s'imposent – disons, si vous voulez, une mise au point, une sorte de manuel de... moi-même.

Règle numéro un :
Je ne vous demanderai jamais d'ingurgiter du poi-

son, de vous immoler sur l'épée de votre amant(e), de devenir une loque humaine, de partir en guerre ni, d'une manière générale, de causer le moindre mal à quiconque, qu'il s'agisse de vous-même ou de quelqu'un d'autre. Ce genre de choses est valable dans les livres ou au cinéma, pas dans la vie.

Règle numéro deux :

Je sais me montrer discret, et vous pouvez n'avoir aucune idée de ma présence dans les parages. Il m'arrive d'ailleurs parfois de ne pas savoir moi-même où je vais surgir — je ne suis que l'Amour, après tout, pas un dieu omniscient.

Règle numéro trois :

Je ne peux pas vous empêcher de vous enticher de la mauvaise personne. D'ailleurs, vous pouvez être parfaitement convaincu de m'avoir trouvé, alors qu'en fait, ce n'est pas le cas.

C'est le truc marrant avec vous, les humains. Vous tenez absolument à me voir dans les situations les plus absurdes : dans le baiser furtif volé au meilleur ami de votre petit copain, par exemple ; ou dans les mots doux du bellâtre qui espère seulement vous faire tomber dans son lit. « C'est le Véritable Amour », dites-vous — et allons-y, envoyez les violons, les lumières tamisées, tous les leurres qui vous donnent l'air rêveur et romantique !

Pardon de vous décevoir, mais la plupart du temps, il ne s'agit pas de moi. Pas vraiment.

Retour à la Règle numéro un. Roméo et Juliette, Arthur, Lancelot *et* Guenièvre, Marc Antoine et

Cléopâtre, Bella et Edward... L'histoire et la littérature sont truffées de personnages exemplaires. Des personnages qui, en mon nom, ont pris de mauvaises décisions. Exactement.

Les humains commettent beaucoup d'erreurs. Pas moi. Sur ce point-là, faites-moi confiance.

Tout ce que je vous demande, c'est d'oublier l'Amour capital, (celui avec un grand « A » et des trémolos dans la voix). L'original, le vrai, ne vous rend pas débile, ni égoïste, ni aveugle. Il vous rend meilleur, bien plus que vous ne l'auriez imaginé.

Cela posé, comment vous me trouvez ? Eh bien, en fait, c'est moi qui vous trouve. Voir ci-après.

Règle numéro quatre :

Un jour ou l'autre, je déboulerai dans votre vie.

Je vous en fais la promesse et, croyez-le ou non, je la tiendrai.

Quelles que soient la couleur de vos yeux, la taille de vos jeans, ou l'acné qui vous ronge la figure. Que vous viviez à Paris, dans un cent mètres carrés avec vue sur la Seine, ou dans le fin fond de l'Indiana avec vue sur un troupeau de vaches, quand votre tour viendra, je serai là. Et je vous aiderai. Si vous me laissez faire.

Règle numéro cinq :

Je n'ai aucun pouvoir sur vous – ni sur le sosie d'Harry Styles, assis un rang plus loin dans la même classe que vous. Au moment crucial, tout dépend de vous, les enfants.

Cela dit, je suis connu pour mes coups de pouce (subtils, mais efficaces).

Règle numéro six :
Mon timing n'est pas toujours au point.

Prenons le cas de Gael Brennan, par exemple. Le genre sérieux, avec des projets. Un Roméo convaincu d'avoir trouvé sa Juliette. Un élève de terminale à Chapel Hill, Caroline du Nord, qui n'a aucune idée de ce qui l'attend.

Et qui est sur le point de perdre tout espoir, et toute confiance en moi. Une perte dont je suis (quoi qu'il m'en coûte de le reconnaître), au moins en partie, responsable. Je sais, je sais, j'ai dit que je ne commettais jamais d'erreur.

C'est le cas.

Enfin, *c'était* le cas.

Mais je vais tout faire pour rattraper le coup.

Parce que Gael a besoin de ma présence, maintenant. Et cela pour une très bonne raison – qui n'est *pas* celle de le doter d'une petite copine pour le bal de fin d'année.

Tout l'intérêt de mon job, enfin une bonne partie, consiste à relever les défis. Ce qui m'amène au point suivant.

Règle numéro sept :
J'ai le droit d'être créatif.

Avant de protester, laissez-moi vous rappeler que, comme stipulé dans la Règle numéro cinq, je n'ai aucune emprise sur vous. Le libre arbitre humain reste intact. Je ne peux forcer quiconque à faire quoi que ce soit qu'il ne voudrait pas. Je ne dispose pas de carquois plein de flèches ni de fioles pleines de philtres.

Pour autant, je ne suis pas complètement dépourvu de ressources...

1.

Le premier « Je t'aime »

Tandis que les dernières images des *Oiseaux* d'Alfred Hitchcock défilaient sur l'écran – une marée de volatiles absolument effrayante –, Gael se mordillait nerveusement le pouce.

— Alors… ça t'a plu ?

Sa question s'adressait à Anika. Et son intonation mal assurée était l'exact reflet de ses inquiétudes. Il était tout à fait possible, se disait-il, et même probable, qu'elle n'ait pas aimé. D'accord, ils avaient déjà loué et vu ensemble *Vertigo,* qu'elle avait apprécié, et elle avait vu *Psychose* de son côté. Mais ces deux films étaient plus faciles à aimer. *Les Oiseaux* était beaucoup plus bizarre. Anika était spéciale, elle aussi, mais quand même…

— Oui, lui a-t-elle répondu en terminant le dernier Snickers de la provision qu'elle emportait toujours avec elle, avant de se serrer un peu plus contre lui.

Ils étaient assis sur le canapé de son sous-sol/salle de télé, une pièce moche et confortable, aux murs couverts de lambris et de posters défraîchis, agrémentée d'un vieux tapis décoloré – vestige miraculé de la chambre d'étudiant de son père –, et d'un immense écran plat. Seule pièce de la maison qui avait échappé à la décoration minutieuse de sa mère, elle n'avait rien du charme qui régnait partout ailleurs ; c'était pourtant la préférée de Gael.

— Tu l'as un peu survendu, a repris Anika en faisant la moue, mais ça ne m'étonne pas de toi !

Elle souriait, maintenant, et Gael s'est autorisé à l'admirer : ses longs cheveux noirs et brillants, dont elle avait fait deux nattes enroulées autour de sa tête – une coiffure qui lui donnait l'air d'une paysanne, mais d'une paysanne qui aurait déchiré ; ses grands yeux écarquillés, comme chaque fois qu'elle faisait une blague ou qu'elle tenait à bien se faire comprendre. Anika était la fille parfaite. Non seulement elle était belle, mais en plus elle était assez bizarre pour aimer ce film (presque) autant que lui.

Le verbe « aimer » collait à ses pensées comme une bouchée de beurre de cacahuètes adhérait au palais. Délectable, et en même temps tellement compacte que c'était à se demander si c'était aussi agréable. (Enfin, là, j'extrapole. Disons que ma position dans le monde ne me permet pas exactement de goûter ce genre de plaisirs.)

On était le 18 septembre, un mois s'était écoulé depuis leur premier baiser. Gael en aurait fait toute une affaire, sauf qu'Anika n'avait pas arrêté de se plaindre quand Jenna, sa meilleure amie, leur avait tenu le compte, semaine après semaine, de la durée de sa propre idylle.

Un mois, c'était très court, il le savait, mais leur histoire lui semblait déjà si juste, si évidente.

Anika était blottie dans ses bras, et la façon dont son corps tiède et doux se pressait contre le sien lui donnait le sentiment d'être revenu chez lui. Pas au sens propre – ils étaient effectivement chez lui –, mais au sens, disons, philosophique. Il avait passé des heures et des heures, avachi sur ce canapé, à regarder des films en famille ; depuis que son père était parti, pourtant, il ne remettait quasiment plus les pieds ici. Avec Anika, ce n'était pas la même chose. Il avait moins de mal à revenir. Il éprouverait toujours un pincement au cœur au souvenir du passé, mais elle lui permettait d'entrevoir sinon l'avenir, au moins sa promesse.

Il caressait ses nattes quand ses yeux sont tombés sur l'horloge du lecteur Blu-ray. Il était vingt et une heures trente passées. Et Anika, les soirs de semaine, n'avait que la permission de dix heures. Elle n'était pas du genre à se soucier de la permission de ses parents, mais Gael aimait leur montrer combien il respectait leurs règles.

Il en était à ce point de ses réflexions quand Anika a levé un regard espiègle vers lui.

— C'est bien, *Les Oiseaux*, a-t-elle dit avec un petit sourire coquin, mais pas franchement romantique… Enfin, c'est quand même mieux que le marathon *Battlestar Galactica* que je t'ai imposé la semaine dernière ! J'imagine qu'on n'a plus qu'à se rattraper.

Elle avait parlé en le regardant droit dans les yeux, et ses mains couraient maintenant dans ses cheveux.

Gael sentait le bout de ses doigts sur son crâne. Il frissonnait de plaisir quand elle s'est approchée pour l'embrasser.

Ses baisers étaient rapides, pressants et, en un clin d'œil, elle était à califourchon sur ses genoux.

Il a reculé.

— Attends.

Les trois mots fatidiques, ceux qu'il couvait depuis des jours, brûlaient, prêts à éclore, dans le fond de sa gorge. Anika lui avait dit qu'elle devait réviser, le lendemain soir, et qu'elle ne pourrait pas sortir. Autrement dit, s'il ne lâchait pas ces trois mots très vite, ils devraient attendre – et lui avec – quarante-huit heures de plus.

Ce qui était, pour un romantique de sa trempe[1], un délai d'une longueur insupportable.

— Pourquoi ? a-t-elle répliqué sans cesser de lui picorer la bouche. Je jure que je ne suis pas une mouette hystérique déguisée en fille.

Elle l'a embrassé une fois de plus, avant de le regarder, sourcil dressé.

— Ou peut-être que si !

Gael a éclaté de rire puis, en s'efforçant héroïquement d'ignorer la tentation qui le tenaillait, il l'a prise par les hanches. Elle avait les joues toutes roses et elle était si belle qu'il ne pouvait pas *ne pas* lui dire maintenant.

— J'ai quelque chose à te dire.

— Que tu es un méchant volatile déguisé en garçon ? Ça me va !

Elle se lovait contre lui, clairement plus intéressée par ses baisers que par tous les mots qu'il pouvait prononcer.

Il l'a rapidement embrassée puis repoussée encore.

Il avait l'impression d'être sur le point de vomir, mais de la façon la plus belle qui soit. Des milliers de picotements lui chatouillaient le bout des doigts, il se sentait à la hauteur – même si ses parents ne l'étaient pas –, et il clignait des yeux. Il ne savait pas depuis combien de

---

1. Romantique : celui ou celle qui croit en l'amour sous sa forme la plus pure, la plus belle et la plus absolue, et pare de cette aura ses diverses relations. Peut entraîner : la fuite épouvantée du partenaire, le choix de la mauvaise personne, et l'envie désespérée de vivre sa vie comme un vieux film glamour d'Hollywood. Peut aussi déboucher sur l'une des plus belles, des plus exaltantes et des plus profondes histoires d'amour de toute l'humanité.

temps il la regardait comme ça, mais il savait qu'il devait parler maintenant. Ou se taire à jamais. (Moi, au moins, j'étais préparé à ce qui allait – je le savais – inévitablement se produire.)

— Je voulais seulement te dire que… je t'aime.

J'ai vu surgir l'éclat de panique à l'instant où il a traversé le regard d'Anika et j'ai aussitôt envoyé un courant d'air par la petite fenêtre ouverte. La brise a soulevé les coins d'un vieux poster Pokémon scotché depuis des années au-dessus du canapé. L'instant d'après, la feuille leur tombait dessus.

— Ça va ? s'est inquiété Gael en la repoussant sur le côté.

— Très bien, a répondu Anika.

Comme je l'espérais, elle avait profité de l'interruption pour se ressaisir.

Ce n'est qu'à ce moment-là que Gael s'est aperçu qu'elle n'avait pas répondu à sa déclaration.

— Pas besoin de me rendre la pareille ou quoi que ce soit, s'est-il empressé de dire. Je sais que ça ne fait qu'un mois qu'on sort ensemble… C'est juste que… Enfin, j'avais seulement envie de te le dire.

Anika l'a regardé en hochant la tête.

— Tu ne trouves pas ça trop bizarre, hein ?

Il contemplait le poster froissé sur le canapé à côté d'eux ; depuis son papier glacé, Pikachu, imperturbable, lui renvoyait son regard frénétiquement réjoui. Il s'est forcé à arrêter de se mordre l'intérieur de la bouche pour se rabattre sur l'ongle de son pouce.

Anika a hésité, durant une atroce seconde, puis elle a pris Gael par le menton pour lever son visage vers le sien.

— Non, a-t-elle dit avant de l'embrasser avec application.

Lorsqu'elle s'est écartée, elle avait retrouvé le sourire.

— On se revoit samedi, OK ?

On lui aurait posé la question, Gael aurait juré avoir vu, à cet instant, l'amour naître dans les yeux d'Anika.

Et j'aurais fait comme lui – il n'aurait jamais plongé aussi vite, si j'avais fait attention.

Même si j'avais un peu de répit, il était temps de mettre mon plan en action.

J'avais hâte.

2.

Le (deuxième) pire jour de la vie de Gael

C e matin-là, malgré le poids de son saxophone, c'était d'un pas léger que Gael se dirigeait vers la salle de musique.

On était le 2 octobre – deux semaines s'étaient écoulées depuis qu'il avait dit à Anika qu'il l'aimait (oui, il comptait) –, et tout était normal : les arbres commençaient à perdre leurs feuilles et la température à chuter. Sa déclaration prématurée n'avait provoqué aucune implosion de l'univers. Il lui semblait même, au contraire, en pleine expansion. Anika n'avait peut-être pas encore prononcé les mêmes mots, mais elle semblait les dire à sa façon. Dans les textos qu'elle lui envoyait juste avant de s'endormir, par exemple. Ou quand elle lui rappelait le devoir de maths à rendre, parce qu'il avait oublié de le noter. Ou encore lorsqu'elle le prenait par la main et que, ses doigts enlacés aux siens, elle lui donnait une très légère, infime pression...

(Cruel moment de vérité : quand quelqu'un veut dire « je t'aime » en retour, il le fait.)

Gael et Anika allaient parfois ensemble au lycée, mais depuis le début de la semaine, elle partait une demi-heure plus tôt. Elle faisait également partie de la fanfare et elle voulait passer première flûte. Comme les épreuves avaient lieu vendredi, elle tenait à se préparer sérieusement. Quoi qu'il en soit, aujourd'hui, Gael avait décidé de lui faire la surprise et d'arriver, lui aussi, en avance – avec des fleurs, rien que ça. Des œillets rouges. Anika adorait le rouge.

Il a traversé le parking presque vide, puis la cour, et franchi, dans un grincement assourdissant à cette heure matinale, la double porte de derrière.

Le lycée baignait dans une étrange quiétude. Les couloirs avaient l'air beaucoup plus grands désertés et les casiers uniformément fermés semblaient abandonnés. Il n'y avait que les traces de pas sur le lino poussiéreux pour lui rappeler que l'endroit était habituellement bondé.

Il s'est dirigé vers le préau et, son bouquet de fleurs en main, il a tourné à droite vers la salle de musique. Mais lorsqu'il est entré, il n'y avait que deux trompettistes dans la pièce encombrée – pas d'Anika. Il s'est débarrassé de son saxophone, puis il a rajusté son sac à dos sur son épaule et jeté un coup d'œil à sa montre. Il était sûr qu'elle lui avait dit qu'elle serait là, à cette heure. Elle avait peut-être oublié quelque chose dans sa voiture ?

C'est du même pas léger qu'il est reparti en direction du parking. Il faisait froid, mais beau. Une journée idéale pour être amoureux et faire une surprise à l'élue de son cœur.

La voiture d'Anika – un vieux tacot jaune clair, tout à fait dans son style – était là, mais pas sa propriétaire.

Le temps qu'il revienne dans la salle de musique – Anika n'y était toujours pas –, les couloirs avaient commencé à se remplir. Ravalant sa déception, il s'est décidé à vérifier une fois de plus les casiers.

Il l'a repérée tout de suite. Elle était là, au bout du couloir, ses longs cheveux noirs (aujourd'hui ondulés) flottant sur ses épaules – ses incessants changements de coiffure étaient une des fantaisies d'Anika qui l'enchantaient le plus.

Ce n'est qu'en approchant qu'il a pris conscience qu'un garçon était avec elle. Un type grand, musclé, à l'allure désinvolte, au regard un peu niais et pourvu d'une tignasse aux boucles familières… Bizarre, a-t-il pensé – et il avait raison : Mason, son meilleur ami, n'était *jamais* en avance au lycée. Il avait même généralement entre cinq et dix minutes de retard, une légèreté que personne ne lui reprochait jamais parce que c'était Mason, et que tout le monde adorait Mason.

Ils se regardaient, tandis qu'Anika, d'une main distraite, fermait son casier, et elle était si concentrée sur Mason qu'elle ne voyait même pas Gael, pourtant à moins d'un mètre.

Gael n'avait jamais eu d'accident de voiture, mais il avait lu pléthore de témoignages sur le phénomène. Et tous racontaient la même chose : la scène qui passe brusquement au ralenti, le relief aigu des moindres détails – l'heure sur le tableau de bord, la voix du présentateur à la radio, l'interminable crissement de pneu avant le fracas de tôle final, l'odeur de plastique brûlé puis l'aveuglante lumière blanche.

C'était ce qu'il avait vécu quand ses parents lui avaient annoncé qu'ils se séparaient.

Et il vivait exactement la même chose : le vacarme des portes métalliques des casiers qui claquaient, les cris perçants d'une bande de filles de seconde, son regard rivé sur Mason qui, lentement, mais sûrement, se penchait sur Anika pour l'embrasser... en plein sur la bouche.

(J'ai bien tenté d'adoucir le choc du pauvre Gael. La présonnerie s'est ainsi déclenchée douze secondes exactement avant l'heure réglementaire – et à un volume deux fois supérieur à la normale –, mais cela n'a eu aucun effet : Anika et Mason étaient indécollables.)

Après d'interminables et cruelles secondes d'authentique embrassade, Anika a fini par s'écarter en disant :

— Arrête, je n'ai pas encore parlé à Gael.

Lequel Gael, en dépit d'une crise sévère de catatonie aiguë, s'est entendu répondre :

— Je suis là.

Les deux autres ont pivoté comme deux gamins pris en flagrant délit de chapardage.

— Gael, a lâché Anika dans un souffle. Qu'est-ce que tu fais là ? Tu ne viens jamais si tôt.

— Lui non plus, a rétorqué Gael à l'adresse de Mason. J'étais venu te faire une surprise.

— Oh, a-t-elle dit en baissant les yeux sur ses fleurs.

Celles-ci pendaient, tête en bas au bout de son bras, comme si elles-mêmes avaient perdu espoir. Gael s'est aussitôt senti ridicule. Il a ouvert son sac à dos et les a fourrées à l'intérieur.

— Écoute, vieux..., a tenté Mason en se dandinant d'un pied sur l'autre.

Mais Anika ne l'a pas laissé poursuivre.

— Gael, je crois qu'on ferait mieux de parler tous les deux.

Mason, malgré l'avertissement, n'a pas bougé. Il a fallu qu'Anika lui lance un regard appuyé en pinçant les lèvres – exactement comme quand elle ne voulait plus entendre Gael parler films d'auteur et cinéma classique (apparemment, le langage codé qu'il partageait avec elle appartenait à Mason maintenant) –, mais elle a dû patienter quelques secondes de plus, pour qu'il lâche un « pigé » (tardif mais perspicace), au terme duquel il a hoché la tête et tourné les talons.

D'un côté, Gael voulait se précipiter sur lui, le rattraper par le col et lui demander de s'expliquer ; de l'autre, il n'arrivait pas à détacher ses yeux d'Anika.

Celle-ci, après avoir verrouillé la porte de son casier en soupirant, s'est tournée vers lui pour affronter son regard. L'assurance dont elle pouvait faire preuve était une de ses qualités qu'il préférait. Anika avait du cran.

Peu de filles de terminale avaient du cran.

Assez de cran pour tromper son petit copain avec son meilleur ami ?

— Qu'est-ce que ça veut dire ? a-t-il demandé. Tu sors avec Mason, maintenant ? C'est une blague ?

Il se rendait compte que sa voix tremblait.

Anika regardait ses pieds, maintenant. Elle portait ses Mary Janes rouges achetées sur Goodwill le jour où lui avait déniché un vieux T-shirt *Taxi Driver*.

— Je suis désolée.

Première impression : un grand coup, suivi d'une violente secousse, comme seul un tremblement de terre peut en causer.

Deuxième impression (en la voyant relever les yeux) : confirmation. Un événement majeur et si improbable qu'il occupait exactement zéro pour cent de son espace mental venait *bel et bien* de se produire. Comme ça.

Troisième impression : les curieux stationnés en périphérie de son champ de vision. Des gens qui n'avaient rien à voir avec eux. Devon Johnson. Mark Kaplan. Amberleigh Shotwell, première flûte actuelle dans la fanfare.

Il s'est demandé, tout à coup, combien d'entre eux étaient au courant de ce qui se passait – Anika et Mason ne se montraient pas franchement discrets. Se payaient-ils sa tête à la cantine ? Ce brave Gael, tellement couillon et romantique qu'il ne se rendait même pas compte de ce que sa petite amie et son meilleur copain trafiquaient dans son dos !

— Tu plaisantes.

Sa voix vacillait toujours autant, et pire : une première larme roulait sur sa joue. Il n'arrivait pas à croire qu'Anika lui faisait un coup pareil, surtout après ce qui s'était passé avec ses parents. Comme si elle s'était personnellement chargée de confirmer ses pires craintes : que l'amour n'existait pas. Comment pouvait-il exister quand deux personnes qui lui avaient semblé heureuses toute sa vie, tout à coup, ne l'étaient plus ?

— Depuis quand est-ce que ça dure ? a-t-il demandé, désespérant d'apprendre qu'il s'agissait d'un bref moment d'égarement.

Anika s'est mordillé la lèvre.

— Je ne sais pas, a-t-elle dit. Une semaine, peut-être.

Une semaine ? Anika et Mason faisaient Dieu savait quoi dans son dos *depuis une semaine entière* ?

Il a attrapé Anika par l'épaule et, s'y accrochant comme à une bouée de sauvetage, il a tenté :

— Écoute, ce que je t'ai dit t'a fait flipper, je comprends, mais si on en parlait, hein ? On n'a qu'à sécher le premier cours.

Il n'avait jamais séché aucun cours de sa vie. Anika l'avait déjà fait, elle, pour décrocher des places à un concert des Flaming Lips.

Anika obtenait toujours ce qu'elle voulait. Et maintenant, elle ne voulait plus de lui.

— Non, Gael, je ne peux pas.

Elle essayait de se dégager, mais au lieu de la lâcher, il lui a pris l'autre bras en l'implorant :

— S'il te plaît.

Durant une brève seconde, il a vu la compassion flotter dans ses prunelles marron foncé, elle semblait même sur le point de changer d'avis. Mais un « Excusez-moi ! » sec et autoritaire s'est fait entendre. L'attroupement autour d'eux s'est fendu, et Mrs Channing, la CPE, est apparue, le regard sévère derrière ses lunettes sans monture.

— Il y a un problème ?

Lâchant Anika, et s'essuyant subrepticement les yeux au passage, Gael a enfoncé la main dans sa poche, dans laquelle il a senti un paquet de mouchoirs qu'il ne se rappelait pas avoir mis là. (De rien, Gael.)

— Anika ? a repris Mrs Channing.

Anika a hésité. Elle a *vraiment* hésité.

— Non, a-t-elle enfin déclaré. Ça va.

D'un ton docile.

Qui n'était pas du tout son genre.

Mrs Channing s'est alors tournée vers Gael.

— Je peux te voir dans mon bureau, Gael ?

— J'ai cours, a-t-il objecté avant de reposer les yeux sur Anika.

— Je te ferai un mot d'excuse, a répliqué la CPE. Suis-moi.

Alors, comme il n'avait pas le choix, et en se mordant les joues pour éviter de fondre en larmes devant tout le monde, Gael a suivi Mrs Channing.

Quand il s'est brièvement retourné, Anika s'engouffrait dans sa classe. Sans l'ombre d'un regard pour lui.

Anika avait toujours su trancher dans le vif.

Sauf que le vif, aujourd'hui, c'était lui.

3.

Intermède humiliant
dans le bureau de la CPE

TIENS BON ! clamait un poster accroché au-dessus du bureau de Mrs Channing. Il représentait un chat suspendu à une barre d'exercices. Et sur le poster à côté, le même chat était ratatiné par terre, sous les mots : CERTAINS EFFORTS NE VALENT PAS LE COUP.

— Tout va bien, Gael ?

La main serrée sur son mouchoir, il était occupé à ancrer fermement ses deux pieds sur le lino poussiéreux du minuscule bureau. Il avait le plus grand mal à respirer. Quant à savoir si tout allait bien... Le matin même, il était tellement heureux – enfin, autant qu'il pouvait l'être. Il était en terminale. Il avait de bonnes chances d'être admis à l'Université de Caroline du Nord. Il avait Anika. Il avait Mason.

D'accord, il espérait encore – contre tout espoir – que ses parents allaient se réconcilier et son père revenir à la maison, mais son histoire avec Anika l'avait détourné de ces soucis.

Elle l'avait détourné de *tous* ses soucis.

D'habitude, Gael était plutôt comme son père, toujours à s'angoisser pour quelque chose : avait-il choisi les bonnes options, cette année ? Travaillait-il suffisamment son saxo ? Sa petite sœur, Piper, si futée et tellement peu intéressée par les trucs des enfants de huit ans, se ferait-elle jamais des amis de son âge ? L'occasionnelle constellation de boutons qui envahissait son front le rendait-elle absolument repoussant ? Etc., etc., etc.

Mais, quand il avait commencé à sortir avec Anika, plus aucune de ces obsessions n'avait compté. Parce que, même si ça ne faisait qu'un mois que ses parents lui avaient annoncé la toujours indigeste nouvelle, il s'était senti… bien.

Parce qu'il avait Anika.

Sa famille pouvait se déchirer, Gael et Anika, ça ne faisait que commencer.

Et maintenant, c'était fini ?

Et il était censé croire que c'était à cause de *Mason* ? Mason qui venait dévaliser son congélateur et ses réserves de mini-bagels depuis qu'ils avaient l'âge de Piper ? Mason qui venait régulièrement voir des films indépendants avec lui, alors qu'il était du genre film d'action et dialogues pourris ?

Mason qui savait, mieux que n'importe qui, combien la séparation de ses parents l'avait anéanti ?

— Gael ?

— Tout va bien, a-t-il bredouillé en fixant le sol.

— Que se passait-il entre toi et Anika ?

— Rien. On discutait, c'est tout.

Il parlait lentement et surveillait ses mots avec soin, parce qu'il savait que, s'il en disait trop, il risquait de s'effondrer.

— Un instant…

Renonçant à trouver ce qu'elle cherchait sur son bureau encombré, Mrs Channing s'est rabattue sur son meuble à tiroirs duquel elle est parvenue à extraire deux brochures qu'elle s'est empressée de lui tendre.

ENTRE LE RIRE ET LES LARMES :
Apprendre à gérer les hauts et les bas d'une histoire d'amour au lycée

NON, C'EST NON :
Petit précis des relations amoureuses et du libre consentement

Gael n'en croyait pas ses yeux.

— Ma mère est prof d'études féministes à la fac. Je sais qu'un « non » est un « non » ! Je voulais seulement parler. Anika est ma copine. Je sors avec elle.

Mrs Channing a pris une bonne inspiration.

— Écoute, Gael, je sais que c'est dur à entendre, mais Anika ne m'a pas donné l'impression de vouloir discuter avec toi.

Mrs Channing n'y était pas. Pas du tout ! Gael respectait les femmes. Il n'y avait pas plus respectueux des femmes que lui. Il n'avait jamais reluqué les filles comme le faisait Mason, cet enfoiré, par exemple. Il *aimait* Anika.

— Je peux partir, maintenant ?

Sa voix s'était brisée au milieu de sa phrase.

— Oui.

Après avoir griffonné un mot d'excuse, Mrs Channing le lui a tendu avec les deux brochures.

— Tu peux retourner en classe.

Il a pris les papiers et s'est tourné vers la porte. Il allait l'ouvrir quand la CPE l'a rappelé.

— Gael ?

— Ouais ?

— Ça arrive à tout le monde.

— Quoi ?

— D'avoir le cœur brisé.

Il n'a rien dit et, si vous voulez le savoir, c'est le mien serré que je l'ai regardé quitter le bureau de la CPE d'un pas lourd, faire une boule des papiers qu'il avait à la main – le mot d'excuse et le reste –, les jeter dans la poubelle, et pousser la grande porte du lycée pour se retrouver dehors, au soleil.

4.

Le (deuxième) pire jour de la vie de Gael – suite

G
ael a passé le reste de la journée réfugié dans sa
voiture sur le parking du lycée, à piocher dans
le vieux paquet de chips rassis qu'il avait déniché
dans la boîte à gants et à zapper tristement sur les stations
radio, tout en effeuillant rageusement les pétales du fichu
bouquet à 6,99 $ jusqu'à sa destruction complète.

Il n'avait nulle part où aller. Sa mère, qui ne donnait pas
son premier cours avant trois heures de l'après-midi, était
à la maison, et elle était dotée d'un détecteur d'humeur
ultra perfectionné. Quant à l'idée de se retrouver coincé
dans le minable appartement de son père, c'était encore
plus déprimant.

Tandis que les minutes défilaient, ponctuées par la
lointaine sonnerie entre chaque cours, il faisait de son
mieux pour ne penser à rien. Mais c'était dur. Il imaginait Anika et Mason, assis côte à côte à la cantine, leurs
corps se frôlant tandis qu'elle picorait des fruits secs et
qu'il engloutissait des rectangles entiers de l'immonde pizza
dégoulinante qu'on leur servait. Il voyait le reste de leur
classe, hilare, raconter à qui voulait l'entendre comment

il avait fini par découvrir le pot aux roses. Le lycée était juste assez petit pour que tout le monde puisse tout savoir sur tout le monde, populaire ou pas.

Il se voyait lui-même, sous le choc et humilié, suivant la CPE dans son bureau, officiellement élu au titre de « bolos le plus pathétique de l'année ».

Et surtout, bien pire, il voyait la vérité, écrite en grosses lettres rouges et lumineuses, comme au fronton du vieux cinéma Varsity sur Franklin Street : Anika ne voulait plus de lui. Anika sortait avec Mason.

Anika, *sa* petite amie, sortait avec le type qu'il connaissait depuis qu'il avait sept ans ; le type qui, en CM1, avait été privé de récré pendant deux semaines entières parce qu'il avait balancé son poing dans la figure d'un CM2 qui avait traité Gael de « minus » ; le type qui répétait tout le temps que, plus tard, lui et Gael épouseraient des sœurs jumelles, qu'ils habiteraient dans des maisons mitoyennes, et qu'ils auraient un home cinéma d'enfer dans une pièce rien que pour eux, afin que Gael puisse voir ses films improbables et lui, jouer à ses jeux vidéo.

Ce type-là.

Le temps que la dernière sonnerie de la journée retentisse, à quinze heures quinze, et que les élèves commencent à déferler sur le parking, sa tristesse s'était muée en franche colère. Avant de changer d'avis, il est descendu de voiture et, claquant la portière, il est parti d'un pas déterminé vers la salle de musique.

★

La fanfare du lycée était un microcosme à elle toute seule. Un vrai sujet d'étude sociologique dépassant de loin celui des instruments à cordes, à vent, les bois, les cuivres et tout ce que l'on voudra. Il y avait les *geeks* de service, un brin obséquieux, qui sortaient tous les uns avec les autres ; les pragmatiques fonceurs, uniquement soucieux d'ajouter une ligne à leur dossier post-bac ; les percussionnistes, hipsters en puissance, dont les bras ne tarderaient pas à être couverts de tatouages ; les joueurs de tuba, trapus et asexués, comme s'ils rêvaient secrètement de se transformer en leur propre instrument.

Gael avait toujours considéré que lui, Anika et Mason n'entraient dans aucune de ces catégories. Mason était un batteur aux yeux bleus, certes, mais il passait quand même la majeure partie de son temps avec Gael et Anika. Gael faisait partie de la fanfare parce que son amour des vieux films avait engendré l'amour des vieilles musiques de vieux films et du sax ténor. Et Anika, bien qu'elle soit amie avec elles, n'avait rien à voir avec la bande de filles d'Amberleigh, ces flûtistes aux longues chevelures soignées qu'elles portaient comme des étendards où serait écrit : *Ne t'avise pas de nous adresser la parole. On ne devrait même pas* ÊTRE *dans cette fanfare.* Anika ne donnait jamais l'impression à personne d'être exclu, qu'il s'agisse de la fanfare ou d'autre chose. Elle savait toujours comment créer des liens et mettre les gens à l'aise. Elle avait le don de les mettre en valeur.

C'était une des raisons pour lesquelles il était tombé amoureux d'elle. Une des nombreuses raisons pour lesquelles il sentait que leur amour était... vraiment vrai.

Lui et Anika étaient un de ces couples réglo de la fanfare, d'accord. Mais, contrairement à d'autres, qui s'exhibaient dans les vestiaires avant et après chaque répétition, ils ne s'étaient jamais livrés à des étalages publics. Leur relation avait de la classe, comme dans un film de Wes Anderson ou une chanson de Mumford & Sons. C'était le genre d'amour qu'on ne pouvait pas tourner en dérision. Le genre d'amour qu'il n'aurait jamais imaginé voir s'envoler.

Et pourtant, apparemment, c'était le cas.

(Je ne peux pas m'empêcher, ici, d'intervenir. Tout le monde est en effet convaincu que son histoire d'amour a de la classe. Personne ne compare son couple à ceux des films réalistes. Et personne ne se dit que ça va s'arrêter. Parce que sinon, personne ne tenterait jamais sa chance. Heureusement que le cœur humain n'est pas aussi logique que ça.)

Gael est d'abord allé dans les vestiaires. Pour tomber sur Amberleigh, qui l'a regardé avec une mine de Smiley déconfit.

— Tu as vu Mason ?

Elle a fait « non » de la tête, et il a déguerpi avant d'essuyer une nouvelle grimace de pitié.

La répétition ne commençait pas avant quinze heures trente. La plupart des élèves profitaient des quinze minutes de pause pour bavarder, ou s'embrasser dans les couloirs, mais Anika et lui allaient parfois dans sa voiture à elle. Sa main glissée dans la sienne, sièges inclinés en arrière, du rock standard lancé à plein volume, il faisait tourner son pouce autour de celui d'Anika, dans une danse beaucoup plus érotique que toutes les daubes pornos que Mason faisait défiler sur son portable, et ils se regardaient dans les yeux…

La belle image s'est fracassée en voyant arriver Anika et Mason, main dans la main.

Ils ont eu l'air surpris et Gael a cru qu'ils allaient faire demi-tour. Mais Anika n'avait pas l'air de vouloir l'éviter.

Au contraire. Elle a lâché la main de Mason et affiché le sourire le plus stupide et le plus artificiel qu'il ait jamais vu sur ses lèvres. Mason a ralenti.

— Salut, a-t-elle dit. Tu n'es pas venu en cours.

— Salut ? a répété Gael. C'est tout ce que tu trouves à dire ?

Elle s'est mordu la lèvre.

— D'accord, a-t-elle admis, c'est moyen, et je sais que tu voulais parler. Seulement, je voulais attendre que tu sois calmé...

— Parce que tu crois que je suis calme, *maintenant* ?

Il avait hurlé.

Mr Potter, le professeur de musique, n'était pas encore arrivé, mais presque tous les élèves étaient dans la salle. Ils le dévisageaient mais Gael n'en avait cure.

— Tu m'as trompé avec mon *meilleur ami*.

Les yeux d'Anika se sont remplis de larmes. Elle a cherché le regard de Mason, qui a tourné la tête pour contempler rapidement la salle, puis ses grands pieds.

Une prudence qui n'a pas empêché Gael de s'attaquer à lui.

— Et toi, tu bazardes une amitié de dix ans pour un coup ? Tu peux avoir toutes les nanas que tu veux ! Pourquoi t'en prendre *à la mienne* ?

Mason a soupiré – sans relever les yeux.

Anika, au moins, avait la décence de le regarder. Elle a pris une bonne inspiration et déclaré :

— On veut que tu saches que ton amitié compte beaucoup pour nous, Gael.

Nous.

Nous ?

Nous !!?&!!?@%!!?

Les poings de Gael s'étaient serrés, et il avait l'estomac noué. Non seulement ces deux-là le faisaient cocu, mais ils ne montraient pas l'ombre d'un remords.

Son poing est parti tout seul pour atterrir en plein sur la figure de son ex-meilleur ami – au beau milieu de ce stupide visage que les filles trouvaient si séduisant.

Mason est tombé à la renverse dans un fracas de pupitres à musique.

Gael, au bord des larmes, avait l'impression d'être plongé dans une fournaise. La tête lui tournait, le sang battait à ses tempes. Il entendait vaguement des cris et une agitation, mais il n'aurait su dire de quoi il s'agissait.

Il ne s'est arrêté de courir qu'une fois dehors, assez loin du lycée pour être tout seul.

D'atroces images dansaient devant ses yeux, des images qui l'empêchaient de respirer – Mason tenant Anika par la main, Mason embrassant Anika sur la bouche, la serrant contre lui, la déshabillant, s'amusant et riant avec elle, partageant tout, absolument tout, ce que Gael n'aurait jamais, jamais plus.

5.

Le plus beau jour
de la vie de Gael

L e plus beau jour de tous les jours de la vie de
Gael n'est pas très difficile à repérer.
C'était l'un de ces après-midi bizarrement frais
du mois d'août dernier, l'ultime samedi avant la rentrée.
Rien d'autre à faire que perdre son temps et profiter du
dernier week-end de liberté.

Depuis le mois de juin, Gael et ses amis passaient la
plupart de leurs samedis chez Jenna Carey. Jenna était,
depuis longtemps, la meilleure meilleure amie d'Anika, et
elle avait une piscine. Mais il faisait trop froid, ce samedi-
là, pour une baignade. Gael s'est souvent demandé par
la suite ce qui se serait passé s'il avait fait plus chaud. Ils
seraient allés à la piscine, et peut-être que lui et Anika
ne seraient jamais devenus *lui et Anika*.

Le fait est qu'ils ne sont pas allés chez Jenna, ce jour-
là. Ils sont allés en centre-ville, jusqu'à Franklin Street,
s'acheter des donuts.

Franklin Street est ce qu'il convient d'appeler une rue
animée où librairies et restaurants (ouverts non-stop ou
non) côtoient une multitude de boutiques vendant tout

ce qu'on peut imaginer de nature à faire le bonheur de n'importe quel hipster branché ou étudiant fauché. Si ses immeubles anciens et ses trottoirs de brique rappellent le passé historique de la ville, ses bars, ses cafés-concerts et ses échoppes de tatouage la désignent comme le repaire de la jeunesse actuelle.

Ils se sont assis sur les marches du bureau de poste, d'où ils avaient une vue splendide sur le campus et l'Université de Caroline du Nord (UNC pour les intimes), ses bâtiments à colonnades, ses gigantesques pelouses, et ses immenses arbres feuillus. Le genre de campus qu'on voit à la télé, ceux qui vous donnent envie de porter un sweat-shirt à leur effigie et de poursuivre vos études le plus longtemps possible.

Leurs donuts épuisés, Anika a demandé si quelqu'un voulait voir *La Vie d'une étoile*, un spectacle au planétarium de Morehead, juste à côté.

Ils ont tous décliné. Mason a dit qu'il dînait tôt chez sa grand-mère, Jenna a décrété que « payer pour regarder des étoiles bidon » lui semblait « archi débile » et Danny Lee, deuxième meilleur ami de Gael après Mason et par ailleurs petit copain fraîchement élu de Jenna, s'est diplomatiquement aligné sur elle. Quant à Gael, comprenant surtout que cela signifiait une heure et demie précieuse en compagnie d'Anika, il a répondu : « Génial. » Et ils se sont mis en route.

Ils sont passés devant le banc niché sous le vieux chêne – celui dont la légende prétend que ceux qui s'y embrassent s'aimeront éternellement.

(Détail amusant : la plupart des gens qui se sont embrassés là ne se sont *jamais* mariés – je le saurais.)

Le planétarium avec sa coupole majestueuse était digne des plus beaux décors de film. Gael, toutefois, n'y avait pas remis les pieds depuis une sortie d'école, en primaire. Un panneau d'affichage annonçait la prochaine séance à quinze heures trente ; ils arrivaient juste à temps. À la fille de la caisse qui leur demandait : « Vous êtes ensemble ? », Gael a maladroitement répondu « Oui ».

À l'intérieur, où des rangées de sièges bien serrés remontaient sur les parois circulaires de la salle, ils ont choisi deux places en hauteur. Les sièges étaient minuscules, le genre de fauteuil qui vous colle à votre voisin.

Puis le spectacle a commencé et les étoiles sont apparues par milliers, bien plus nombreuses qu'on n'en voit en réalité, même dans des endroits aussi sauvages que le Wyoming, où Gael était allé une fois. C'était comme s'ils étaient sous une passoire géante laissant passer la lumière par des milliers de petits trous rien que pour eux.

Gael entendait Anika respirer, mais quand il tournait la tête vers elle, il ne pouvait pas la voir. C'était le noir complet.

Et puis la plus stupéfiante des choses s'est produite, une chose qu'il n'aurait jamais pu préméditer. Le genre de choses que Gregory Peck exécute à la perfection, mais pas lui, pas Gael Brennan. (Je dois dire ici que j'adore cet aspect de mon job : voir des gens parfaitement ordinaires se transformer, l'espace d'une seconde, en véritables héros.) Quoi qu'il en soit, Gael a voulu poser sa main sur l'accoudoir où Anika avait déjà mis la sienne. Son premier réflexe a été de battre en retraite, mais avant qu'il ne puisse le faire, elle a fait pivoter sa main et ses longs doigts se sont entremêlés aux siens.

Les étoiles ont disparu au profit d'une belle lueur pourpre créée par l'apparition d'une supergéante rouge au plafond.

Gael s'est tourné vers Anika. Elle était visible, maintenant, son visage baigné d'une aura chaleureuse, et elle le regardait dans les yeux.

Le temps que leurs lèvres se touchent, le noir complet était revenu dans la salle.

À la fin du spectacle, tandis qu'ils retrouvaient l'aveuglante lumière de la fin d'après-midi, Gael avait presque l'impression d'avoir rêvé ou, s'il n'avait pas rêvé, que l'affaire serait vite oubliée. Embrasser dans le noir celle qui hantait ses pensées depuis des années relevait d'une autre dimension, un coup de bol extraordinaire – c'était peut-être une lubie qu'Anika avait en tête et qu'elle pourrait rayer de sa liste, maintenant que c'était fait. (Ce qui n'était pas une idée *complètement* absurde, parce que Anika, en matière de sentiment, est une Aventurière[1].)

Elle s'est pourtant tournée vers lui, les joues roses et son gloss un peu de travers, pour lui demander :

— On va chez Cosmic ?

L'endroit auquel elle faisait référence était, avec Spanky, le restaurant préféré de Gael sur Franklin (son nom complet est Cosmic Cantina. Mais quand on sait que son repas

---

1. Aventurier : celui ou celle qui cherche un(e) partenaire pour vivre avant tout des aventures (ou des mésaventures), et qui n'éprouve pas le besoin de grandes démonstrations romantiques, de phrases sirupeuses ou de discussions profondes sur l'avenir. Peut entraîner : la minimisation d'émotions ou d'engagements plus profonds, au prétexte de ne pas se prendre la tête. Ou déboucher sur une relation légère, constamment improvisée, pour le plus grand bonheur de chacun des partenaires.

va arriver dans une barquette de polystyrène, utiliser le nom complet semble un peu ridicule, non ?).

— Je rêve d'un méga burrito.

— Ça marche, a répondu Gael en lui prenant la main.

Tandis qu'ils retournaient en centre-ville, Gael réfléchissait.

Anika et lui faisaient partie, depuis longtemps, de la même bande. Mais dans le planétarium, ils étaient devenus tellement plus.

Anika obtenait toujours ce qu'elle voulait, qu'il s'agisse d'un supplément gratuit de guacamole sur son burrito ou d'une meilleure note à son interro de maths.

Et maintenant, tout à coup, elle le voulait, lui.

Il était à la fois stupéfait et complètement dépassé.

(Rien d'étonnant : quand l'amour vous tombe dessus – l'expression n'est pas de moi –, tout le monde a l'impression de perdre pied. Et quand je dis tout le monde, c'est tout le monde.)

Quoi qu'il en soit, la main d'Anika dans la sienne lui semblait une évidence. Et le courant qu'il sentait entre eux était puissant. Exaltant même. Comme entre Tristan et Iseult. Cathy et Heathcliff. Roméo et Juliette.

Mais ce que Gael oubliait de se rappeler, c'est que ces histoires ont un point commun. Qu'elles aient été écrites par William Shakespeare, Emily Brontë, ou (en ce qui concerne Tristan et Iseult) par un illustre inconnu, elles finissaient toutes mal.

6.

Misères, tracas et autres désagréments de la vie

— Tu rentres encore tôt, aujourd'hui.

Sammy, l'insupportablement gonflante baby-sitter de sa petite sœur, le regardait par-dessus la monture de ses grosses lunettes rectangulaires.

— Je croyais tu avais tout un tas d'activités après les cours ?

On était mardi. Presque une semaine s'était écoulée depuis que Gael avait surpris les traîtres et, comme d'habitude, Sammy et sa petite sœur squattaient la salle à manger.

Piper n'a même pas levé les yeux de son livre de français pour répondre à sa place :

— Il devrait être à sa répétition de fanfare, mais c'est *la cinquième fois* qu'il sèche.

Elle avait tendu la main, les cinq doigts bien écartés, pour expliquer ses mots de français.

— Ça va, j'ai compris, a répliqué Gael.

— Ça ne t'amuse plus de jouer YMCA avec tes petits camarades ? a ironisé Sammy.

— Je veux pas en parler.

— Pourquoi ?

Elle le dévisageait, le coude sur la table et le menton posé au creux de sa main.

— Pardon de ne pas vouloir étaler ma vie privée devant ma petite sœur et sa baby-sitter, a-t-il rétorqué.

— Eh, a protesté Piper en faisant voler ses cheveux châtain clair autour de sa tête. Sammy n'est *pas* ma baby-sitter !

L'indignation la plus profonde se lisait sur son visage de huit ans trois quarts.

— Je t'ai déjà dit que c'est mon *professeur de français* !

Il n'a pas pu s'empêcher d'éclater de rire. Sammy s'occupait de Piper depuis qu'il avait commencé à jouer dans la fanfare, en seconde. Mais au mois d'août dernier, quand ses parents avaient appris que Sammy était inscrite en français à la fac, ils lui avaient proposé de la payer davantage si elle donnait aussi des cours de français à sa sœur. Depuis, Piper détestait le mot *baby-sitter*.

Après avoir glissé un marque-page dans son exemplaire de *Candide*, Sammy s'est reculée sur son siège pour le regarder dans les yeux.

— Alors comme ça, tu sèches la fanfare ? Et tu ne veux pas nous dire pourquoi...

Sammy n'avait pas toujours été aussi lourde. Ils s'entendaient plutôt bien, avant. Quand Gael rentrait du lycée, Sammy lui posait quelques questions sur sa journée, les cours, ses amis, puis elle retournait au livre qu'elle était en train de lire jusqu'à l'arrivée de sa mère.

Mais depuis qu'elle avait commencé la fac, elle s'était fait couper et teindre les cheveux (optant, selon Piper, pour un ton « marron chocolat »). Elle avait aussi remplacé ses vieilles lunettes ringardes pour un modèle toujoursringard-mais-super-stylé-quand-même, et elle passait son temps à bavasser sur les écrivains français ou des sujets comme le « complexe carcéro-industriel ». Sa mère adorait, mais Gael trouvait son nouveau genre très snob et un peu... forcé.

Et bien sûr, depuis qu'il rentrait plus tôt, Sammy était devenue encore plus insupportable. Il était obligé de se coltiner une étudiante en première année de littérature française prétentieuse et qui s'octroyait le droit de se mêler de sa vie. Ce qui n'était pas un problème jusqu'à l'Ultime Trahison, catastrophe planétaire également répertoriée sous le nom de « Disparition Simultanée de la Petite Amie ET du Meilleur Ami ». En gros, la fin de sa vie, telle qu'il la connaissait jusque-là.

(Les Romantiques ont le sens du drame, je n'y suis pour rien.)

— On ne peut pas sécher un truc qu'on a arrêté, a-t-il fini par lâcher.

— Parce que tu as arrêté ? Tes parents sont au courant ?

Depuis quelque temps, Sammy n'arrêtait pas de poser des questions. Pas étonnant qu'elle s'entende si bien avec sa sœur.

— Qu'est-ce que ça peut te faire ?

— Ils ne le savent pas, a déclaré Piper en fermant son livre à son tour pour le dévisager de ses grands yeux verts écarquillés et le menton calé au creux de sa paume, exactement comme Sammy.

— Ça va ? lui a demandé Sammy, la voix un brin plus gentille. Tu n'es pas du genre à laisser tomber les trucs sur un coup de tête.

— Très bien, a répondu Gael en détournant les yeux. Mêle-toi de tes oignons, d'accord ?

Sammy et Piper ont échangé le même regard. Elles formaient une drôle de paire, toutes les deux – l'étudiante filiforme et branchée et sa réplique binoclarde miniature. Elles n'ont heureusement rien ajouté.

Fidèle à sa nouvelle routine, Gael est allé dans la cuisine, droit sur le stock de chocolat qui comprenait une bonne réserve des Snickers dont Anika raffolait. Depuis leur rupture, il avait déjà remplacé le sac, discrètement, deux fois. Après en avoir fourré trois dans ses poches, il est allé dans sa chambre, sans un regard pour Sammy ou Piper.

Arrivé dans son antre, il a fermé les volets que sa mère ouvrait chaque matin, sorti son ordinateur portable et mis un film qu'il avait vu cent fois. Il a ensuite ouvert son premier Snickers et a mordu dedans. D'un côté, le craquement de la croûte de chocolat était un bruit étrangement réconfortant, de l'autre, son goût lui rappelait amèrement celui des baisers d'Anika.

Ses émotions étaient dans une belle pagaille. Certains jours, il avait l'impression qu'Anika était morte, qu'elle avait été remplacée par un genre de robot, comme dans *Les Femmes de Stepford* – l'original, bien sûr, pas le remake pourri. Le lendemain, ou dans la même journée, il pensait que c'était lui qui était mort, qu'on lui avait tout arraché pour ne laisser qu'un grand vide à l'intérieur. À d'autres moments, il voulait téléphoner à Anika et hurler. Ou démolir Mason, même si son poing souffrait encore du coup qu'il lui avait déjà donné.

Mais tous les jours, quelles que soient les idées farfelues qui lui passaient par la tête, il désirait surtout disparaître. Manger un à un ses chocolats et se dissoudre lentement dans son lit. Il s'apercevait, horrifié, que même ses stratégies de survie étaient pathétiques, dignes de la pire comédie à l'eau de rose. Il *détestait* les comédies romantiques.

Il a mordu une deuxième fois dans sa barre de chocolat.

(Entre nous soit dit : le chocolat est en effet un remontant indiqué en cas de rupture parce qu'il contient de la phényléthylamine, une substance que produit naturellement le cerveau lorsqu'on est amoureux.)

Les deux heures dont il disposait avant le retour de sa mère étaient les seules où il n'était pas obligé de faire semblant. Il ne se sentait pas le droit de craquer devant elle. Il l'avait assez fait durant l'été, après que ses parents avaient lâché la fracassante nouvelle. Sa mère avait alors alterné les crises de larmes et les invitations à l'accompagner à ses cours de yoga.

Quant aux week-ends avec son père, ce n'était pas mieux. Ce dernier insistait pour que Gael l'accompagne à son footing quotidien – ainsi qu'à une ou deux séances de thérapie familiale. Ben tiens. Jusque-là, Gael avait réussi à y échapper, mais si son père apprenait qu'il traversait lui aussi une rupture, il risquait bien de ne pas y couper. Merci, mais non.

Il a éteint son ordinateur et fermé les yeux dans l'espoir de sombrer dans le sommeil ou, plus exactement, dans l'oubli.

Depuis l'Ultime Trahison, chacune de ses journées était un calvaire. Il avait cours de littérature avec Anika, et elle ne manquait jamais une occasion de lui adresser des sourires forcés. En chimie, il était avec Mason. En *binôme*. Il refusait de leur parler.

La situation était encore plus gênante avec Danny qui était, après Mason, son deuxième meilleur ami. Car Danny était aussi raide dingue de Jenna, et comme Jenna était la meilleure meilleure amie d'Anika, une sorte d'accord tacite s'était installé entre eux. À savoir : Danny étant du côté de Jenna, et Jenna du côté d'Anika, Danny ne pouvait pas, en vertu d'une simple règle de relation transitive, être du côté de Gael.

En fait, il s'en sortait à peu près en n'adressant la parole à quasiment personne. Sa bande, c'était eux, et il n'avait jamais songé à élargir le cercle de ses amis. Disons qu'il n'avait pas assuré ses arrières.

Autrement dit, il avait mis tous ses œufs dans le même panier.

Et ces œufs avaient décidé de faire la fête dans son dos.

7.

Dans lequel j'assiste, impuissant, à la décomposition d'une belle amitié virile

N'allez pas croire que je n'avais aucun projet en vue pour Gael. J'en avais un – faites-moi confiance. Seulement il arrive, dans certaines circonstances (oui, parfois de mon fait), que mes plans soient nettement plus difficiles à mettre en œuvre que prévu. Pas impossibles à réaliser, bien sûr, mais un peu... délicats. Je suis très bon dans mon job. Enfin, j'*étais* très bon, jusqu'à cette regrettable défaillance. Mais je digresse.

Parmi les choses pas si rares mais pénibles auxquelles il m'est donné d'assister, il y a le délitement d'une amitié. Beaucoup se brisent sur mon dos (sur une perception de moi, en tout cas), et c'est toujours tellement injustifié. J'aimerais secouer les deux imbéciles, leur rappeler le temps, pas si ancien, où ils étaient les êtres au monde les plus chers l'un pour l'autre.

Bon, revenons à Gael et Mason. La fin de leur amitié n'était pas seulement désolante, elle était éminemment dangereuse. Comprenez-moi, une amitié sincère est une forme d'amour ; autrement dit, sa fin peut engendrer des chagrins terribles – et Gael, en la matière, avait sa dose.

Entre la séparation de ses parents, la trahison d'Anika, et l'implication de Mason, il traversait un triple chagrin d'amour.

Ce qui rend la scène suivante, survenue le premier vendredi après la rupture, encore plus difficile à regarder :

— Tu ne peux quand même pas passer tout le cours à m'ignorer, a dit Mason.

Gael a continué de recopier ses notes sans relever la tête, les yeux glissant de temps à autre vers la douche oculaire, un objet bien tentant pour...

— Hé, vieux, je te parle !

— Quoi ? a répliqué Gael d'un ton cassant.

Mason a soupiré.

— Je disais que tu ne peux pas...

— C'est bon ! J'ai entendu, je ne suis pas sourd. Je ne veux pas te parler, c'est tout.

— Mais on travaille en binôme. On est bien obligés de se parler. Au moins des mesures.

(Il faut ici souligner que, comme d'habitude, Mason était parfaitement ignorant de la consigne et des procédures à suivre. C'est Gael qui faisait tout le boulot.)

— Ouais, c'est vrai, on était meilleurs potes, *avant*.

Mason s'est agrippé à la paillasse.

— Tu as vraiment l'intention de rayer dix ans d'amitié à cause de ce qui s'est passé entre Anika et moi ?

Cette fois, Gael l'a regardé dans les yeux. C'était à son tour d'être sidéré. *« Ce qui s'est passé entre Anika et moi »*... Mason en parlait comme s'ils avaient cassé son lecteur Blu-ray sans le faire exprès.

— Je te rappelle que c'est toi qui as tout fichu en l'air, a-t-il répliqué, les dents serrées. C'est toi qui es sorti avec Anika dans mon dos, pendant une semaine, avant que je l'apprenne. Pas *moi* !

Mason a passé la main dans ses cheveux bouclés et s'est mis à tripoter le livre de chimie qu'il n'ouvrait pratiquement jamais.

— Je suis désolé, a-t-il fini par dire. Ce n'était pas... prémédité. Elle...

— Oh, s'il te plaît, l'a coupé Gael en levant la main, épargne-moi les détails, d'accord ?

Puis il a secoué la tête et, dans un mélange de rage et de désespoir, il a lâché :

— Je l'aimais, figure-toi.

Cette fois Mason a croisé son regard.

— Tu ne me l'as jamais dit.

— Évidemment, a répliqué Gael en croisant les bras. Pour que tu te foutes de moi ?

Mason a ri, effectivement, mais d'un rire faible et sans joie.

— Ce n'est pas que tu sois amoureux qui m'aurait fait marrer, mais que tu le sois au bout de deux mois.

— On peut très bien tomber amoureux en deux mois.

(Sur ce point, il avait naturellement raison. On peut tomber amoureux en deux minutes. Même en deux secondes, comme il m'est arrivé, en de rares occasions, de le voir.)

— Écoute, vieux, a repris Mason prudemment, je veux pas être vache.

Trop tard, s'est dit Gael.

— Mais... est-ce qu'elle t'aimait, elle ? Je veux dire, est-ce qu'elle te l'a dit ?

Gael a pincé les lèvres tandis que Mason attendait sa réponse.

— Et alors ? a répliqué Gael. Ça ne change rien à ce que t'as fait.

— C'est dégueulasse, je le sais et je sais que j'ai eu tort. Ce que je veux dire, c'est... Écoute, je suis sorti un bon moment avec la serveuse de Cosmic, plus longtemps que toi avec Anika, et quand elle m'a plaqué, je n'en suis pas mort.

(J'ai beau être à fond du côté de Gael, je dois dire qu'en l'occurrence Mason avait des circonstances atténuantes. Il ne comprenait pas ce que – franchement – personne au monde ne comprend tout à fait, à l'exception de Gael et moi : peu importe que ce soit ou non le véritable amour, pour Gael, c'était *tout*.)

— T'es qu'un connard, a conclu Gael.

Et, sans un mot de plus, il est retourné à ses complots d'attaque chimique.

8.

Réveil brutal à Chapel Hill

Revenons à Gael, enfoui dans son cocon de désespoir.

Notre héros malgré lui était presque endormi lorsqu'on a frappé à sa porte.

Avant qu'il puisse ouvrir la bouche, Piper était dans sa chambre. Il a consulté l'heure sur son téléphone. En dépit de sa volonté clairement exprimée qu'on lui fiche la paix, sa sœur ne lui avait laissé que quinze minutes de tranquilité avant de surgir. Apparemment, l'apprentissage du *français élémentaire* était fini pour la journée.

— Il fait complètement noir, là-dedans ! a-t-elle observé.

Sachant qu'il ne risquait pas de retomber avant long-temps dans sa torpeur, il a déballé un autre Snickers.

— C'est le but.

Elle a quand même allumé la lumière, puis s'est assise sur son lit.

— Tu vas rester de mauvaise humeur jusqu'à ton anniversaire ? lui a-t-elle demandé. Parce qu'on ne va plus jamais au restaurant de sushi. Tu n'as pas intérêt à tout gâcher.

Son anniversaire. Il avait oublié qu'on était vendredi et que sa mère avait prévu ce stupide dîner en famille dans son restaurant préféré. L'idée de manger du poisson cru avec son père aux abonnés absents et en faisant semblant que tout allait bien lui était presque insupportable. Il a mordu dans sa barre de chocolat.

(Je le souligne en passant, mais les ruptures qui surviennent juste avant un anniversaire sont les pires. Comme celles annoncées juste avant Noël, ou juste avant la Saint-Valentin.)

— Tu n'as pas de verbes à conjuguer ? a-t-il demandé à sa sœur.

Elle a fait « non » de la tête.

— Va-t'en, je veux rester seul, d'accord ?

— Tu as du chocolat sur les dents.

Il a englouti le reste de la barre avant de répondre, la bouche pleine :

— Et maintenant, j'en ai plus. T'es contente ?

Au même moment, Sammy est arrivée.

— Hum, sexy, a-t-elle lâché en s'adossant au chambranle de la porte.

Gael a levé les yeux au ciel et il s'est mis à mâcher avec une lenteur étudiée – ce qui n'était pas très difficile, compte tenu du mélange de cacahuètes, de chocolat et de caramel collant. Elle l'a regardé faire, les bras croisés et l'œil critique.

— Qu'est-ce que tu veux ? a-t-il lancé. Vous ne pouvez pas me laisser tranquille ? J'essayais de dormir.

— Ta petite sœur voulait être sûre que tu vas bien.

Elle a penché la tête sur le côté, lui a souri gentiment et, pendant une seconde, Gael a vu surgir l'ancienne

Sammy, celle d'avant les lunettes branchées et les grands sujets de discussion.

N'empêche, il n'avait toujours pas envie de lui parler.

— Eh bien je vais mal ! a-t-il rétorqué. D'accord ? Et maintenant que vous le savez, tirez-vous !

— Viens, Pip, a dit Sammy. On a un chapitre à terminer.

Piper est descendue de son lit pour rejoindre Sammy comme un toutou obéissant. Sammy lui a posé la main sur l'épaule et s'est agenouillée devant elle.

— Commence les exercices, j'arrive dans une seconde.

Elle a attendu que Piper soit au bout du couloir pour se tourner vers Gael.

— Tu sais que tu ne peux pas te complaire éternellement dans ton malheur.

— Oh, pitié ! a gémi Gael. Tu n'es pas *ma* baby-sitter.

— Je dis ça pour toi, a-t-elle repris en posant une main sur la hanche, comme chaque fois qu'elle se prenait au sérieux. Tu dois te secouer, c'est le seul moyen de t'en sortir.

— Qu'est-ce que ça peut te faire ? a-t-il marmonné.

— Je tiens à garder mon job, figure-toi. Ce qui risque d'être compromis si ta mère apprend que tu glandes tous les après-midi à la maison.

Gael, lui, se fichait éperdument qu'elle perde son boulot.

— Tu me fais marrer avec tes conseils. Depuis quand tu t'y connais, d'abord ? Attends, ça fait quoi, trois ans que tu es en couple ?

Sammy s'est presque étranglée – et j'ai vu la douleur, encore vive, remonter en force à la surface –, mais elle s'est vite ressaisie, pour répondre, d'une voix sèche :

— Laisse mon couple où il est, d'accord ?

— Pas de problème. De toute façon, tu ne pourrais pas comprendre. Tu ne connais rien aux ruptures.

Elle a éclaté de rire – j'étais le seul à me rendre compte qu'en fait elle aurait pu pleurer –, puis elle a récité le mantra qu'elle se répétait depuis un mois et demi :

— *Si vous vous sentez seul quand vous êtes seul, vous êtes en mauvaise compagnie.*

Elle avait parlé lentement, d'une voix légèrement nasillarde et en français. (Son accent était impressionnant, mais Gael, là aussi, s'en fichait éperdument.)

— Qu'est-ce que c'est censé vouloir dire ? lui a-t-il demandé.

Malgré sa mauvaise volonté, il sentait, connaissant Sammy, qu'il y avait là quelque chose à creuser.

— C'est une citation de Jean-Paul Sartre. T'as qu'à chercher.

Sur quoi elle a éteint la lumière, tourné les talons et fermé la porte derrière elle.

Il a fallu à Gael dix bonnes minutes pour trouver la phrase et sa traduction sur Internet.

Cela l'a conduit à cette conclusion : Jean-Paul Sartre n'avait, comme Sammy Sutton, jamais eu le cœur brisé.

9.

Dix-huit bougies

C e même vendredi, Gael était encore allongé sur son lit, absorbé dans la contemplation de son plafond, lorsque sa mère a passé la tête par l'entrebâillement de sa porte.

— Tu es prêt, chéri ?

Il s'est redressé en soupirant.

Il n'avait aucune envie d'aller au restaurant. Pourtant, aussi pénible que soit la perspective de fêter ses dix-huit ans à trois, celle de blesser sa mère l'était encore plus.

— C'est bon, j'arrive, a-t-il répondu en grommelant.

Tandis qu'il enfilait ses Converse, sans prendre la peine de nouer les lacets, sa mère entrait dans sa chambre pour s'adosser à son armoire.

Ses cheveux, presque aussi noirs que sa robe, étaient relevés en chignon. Elle portait une écharpe qu'elle avait tricotée elle-même et les longues boucles d'oreilles turquoise que Gael et son père lui avaient offertes deux ans plus tôt.

— Je viens de parler avec ton père, a-t-elle repris. En fait, il vient lui aussi.

Gael a froncé les sourcils.

— Je croyais que tu voulais qu'on fasse les choses séparément, maintenant.

— Eh bien, j'ai changé d'avis.

Un sourire s'est étiré sur ses lèvres, comme si elle s'étonnait elle-même.

Angela Brennan, qui gagnait sa vie en élevant la voix devant un parterre de jeunes étudiants, les conjurant d'ouvrir les yeux sur les injustices (révoltantes) du système, était, à la maison, un modèle de gaieté. Un jour, Gael avait été la chercher à la fac avec son père. Ils avaient assisté à la fin de son cours, et il se souvenait encore de sa stupeur en découvrant la femme menue et joyeuse, qui, chaque matin, lui préparait si gentiment ses tartines, dénoncer avec tant de véhémence les tâches ménagères comme « la deuxième journée de travail de la femme ».

Il ne s'était jamais posé de questions sur la gaieté de sa mère ; elle lui avait toujours semblé naturelle. Mais il se rendait compte, maintenant, des efforts qu'elle lui coûtait. Depuis le départ de son père, il voyait bien que sa mère passait son temps à faire de son mieux pour assurer – et il se demandait parfois depuis combien de temps cela durait.

(Depuis longtemps, en fait. Si longtemps que même *moi* j'aurais dû m'en rendre compte.)

Elle a soupiré, mais s'est vite ressaisie.

— Je sais que ces derniers mois ont été durs pour toi, Gael, alors j'ai pensé que ce serait bien de nous retrouver en famille !

Son sourire, comme il ne répondait pas, s'est fané.

— Si tu le dis, a-t-il fini par lâcher sur un haussement d'épaules.

Le sourire de sa mère est revenu en force.

— Au fait, a-t-elle repris juste avant de se tourner vers la porte, j'ai croisé Sammy sur le campus, ce matin. Je l'ai invitée, elle aussi. On la prendra au passage.

Nouveau haussement d'épaules.

— Honnêtement, je me fiche pas mal de savoir qui sera là, maman.

— Si tu le dis, a-t-elle répliqué avec un clin d'œil.

En vérité, tout ce que Gael voulait, c'était s'enfermer dans sa chambre et se goinfrer de Snickers en regardant le plus de films possible — une dizaine s'il le fallait.

Mais il se disait qu'il aurait dû être habitué, maintenant, à ne pas obtenir ce qu'il désirait.

★

Il faisait sombre à l'intérieur du restaurant de sushi et celui-ci était décoré de façon à faire oublier qu'on y servait du poisson cru encore bien vivant à peine quatre heures plus tôt dans l'océan. Les murs étaient peints dans des tons de terre, beige et ocre ; il y avait des bambous en pot un peu partout. Les serveurs étaient habillés tout en noir... On entendait des grésillements à la cuisine, et ça sentait bon la mer.

Lorsqu'ils sont arrivés, le père de Gael était déjà assis à une grande table au milieu de la salle. Arthur Brennan avait quatre passions dans la vie : le jogging, l'histoire russe, l'équipe de basket de l'Université de Caroline du Nord, et la ponctualité.

En les voyant entrer, il s'est aussitôt levé (il était, de très loin, la plus grande personne de l'assistance) et il s'est mis à se balancer d'un pied sur l'autre en se passant nerveusement la main dans ses cheveux blonds parfaitement coiffés. Ensuite, Gael l'a regardé se lancer dans un ballet maladroit avec sa mère pour savoir s'ils devaient ou non s'embrasser (ce qu'ils n'ont pas fait) et où ils allaient s'asseoir. (Piper et Sammy ont fini par les tirer d'embarras en s'installant entre eux.)

Gael s'est assis à côté de sa mère et s'est vite aperçu qu'il restait deux chaises vides, juste à côté de lui. Il allait en faire la remarque, lorsque…

— Anika ! s'est exclamée sa mère en se levant.

Il s'est tourné.

Déjà malade de voir en effet débarquer Anika, il s'est senti encore plus mal de constater qu'elle n'était pas toute seule. Il y avait aussi Mason. Et ils avançaient vers lui, tout sourire, comme s'ils ne venaient pas conjointement − et simultanément − de lui briser le cœur et de ruiner sa vie.

Il s'est forcé à sourire en croisant les yeux de Sammy. La bouche bizarrement tordue, elle faisait de son mieux pour retenir l'air de pitié qu'il voyait naître sur son visage.

Il s'est raidi quand Anika l'a serré dans ses bras en lui souhaitant « bon anniversaire » à l'oreille. Elle s'est vite écartée, mais pas assez tôt. Il a eu le temps de sentir le parfum de son shampoing à la noix de coco. Ensuite, ça a été le tour de Mason qui, avec une bonne claque dans le dos, lui a souhaité :

— Joyeux anniversaire, mon pote !

Avant d'ajouter :

— Je n'étais pas sûr d'être le bienvenu, mais quand ta mère m'a téléphoné pour être certaine que je serais là, j'ai fait ni une ni deux !

— Ma mère ?

— Elle a tout organisé, vieux.

Après quoi, ils se sont assis, Anika à côté de lui, Mason à côté d'elle.

Gael aurait voulu leur dire que sa mère ne savait strictement rien de leurs histoires — et qu'aucune invitation de sa part n'avait sa bénédiction —, mais il ne voyait pas trop comment expliquer ça devant tout le monde.

(Je tiens à préciser, afin que tout soit parfaitement clair, que l'arrivée d'Anika et de Mason n'entrait absolument pas dans mes intentions. Au contraire, j'ai fait de mon mieux pour les empêcher de venir — j'ai tenté de détourner Mason de son projet initial en plaçant sur son chemin, au retour du lycée, l'affiche du dernier film d'action inratable, et Anika a mystérieusement eu du mal à démarrer sa voiture. En vain. Non seulement la mère d'Anika avait des dons en mécanique automobile, mais Mason aurait raté le meilleur film de tous les temps plutôt que la possibilité de peut-être renouer avec Gael.)

Tandis que son père s'inquiétait de savoir si un serveur allait finir par s'occuper d'eux, les minutes, pour Gael, prenaient des allures d'éternité. Sa mère pliait et dépliait sa serviette en évitant soigneusement de croiser le regard de son mari ; Piper avait l'air un peu trop radieuse — sans doute espérait-elle naïvement que ce malheureux dîner allait réconcilier ses parents — ; et Mason, fidèle à lui-même, a fait un commentaire complètement déplacé sur le plaisir qu'il avait « à revoir enfin Mr et Mrs Brennan ensemble » (commentaire auquel ses parents, après s'être à moitié étouffés, ont répondu qu'ils s'étaient « toujours très bien entendus », et patati et patata). Le regard compatissant d'Anika n'a fait qu'accroître la fureur que Gael sentait monter en lui. Si elle était aussi désolée que ça pour ses parents, pourquoi l'avait-elle poignardé dans le dos comme elle l'avait fait ?

Après d'autres interminables et aussi pénibles minutes nécessaires à passer leur commande, Anika a fouillé dans son sac, duquel elle a sorti un Blu-ray encore dans son emballage.

— Tiens, c'est pour toi, a-t-elle dit à Gael en le lui tendant.

Il l'a dévisagée, complètement sidéré.

— Un cadeau d'anniversaire ? Tu te fiches de moi, s'est-il étranglé. Tu peux le garder. Je ne veux rien de toi.

— Allez, prends-le. Je l'ai commandé spécialement.

Elle le lui a fourré dans les mains en souriant.

— Oh, qu'est-ce que c'est ? a demandé sa mère.

— Rien.

Elle a tout de même tendu le cou.

— *Vertigo !* s'est-elle exclamée en voyant l'image sur le boîtier. C'est moi qui te l'ai fait découvrir, Gael. Tu te rappelles ?

— Oui, maman, je sais.

Elle lui a pris le disque des mains.

— Une édition de luxe, en plus. Quel magnifique cadeau ! C'est toi qui as eu cette attention, Anika ?

— Oui, madame Brennan, a répondu Anika d'un ton mielleux.

Et qui sonnait tellement faux. Avait-elle toujours été si hypocrite ? s'est demandé Gael.

— On peut dire que tu connais bien Gael, a continué sa mère. Il *adore* les vieux films. Contrairement à son père.

Autrefois, ce dernier aurait répondu par une pirouette vantant exagérément le cinéma contemporain, et uniquement destinée à lancer une discussion passionnée. Cette fois, pourtant, il s'est contenté de hausser les épaules.

— C'est Gael qui m'a fait découvrir Hitchcock, a précisé Anika d'une voix beaucoup plus aiguë que d'habitude. Je n'avais jamais vu aucun de ses films. Je pensais m'ennuyer, jusqu'à ce qu'il m'en montre un.

Quant à Mason, il fixait sa fourchette en évitant soigneusement de se mêler de la conversation.

— Ce n'est quand même pas un exploit d'acheter un disque, a lâché Gael. Un clic sur Amazon et le tour est joué. Un singe pourrait le faire.

Sa mère s'est étranglée.

— Gael ! C'est un très beau cadeau de la part de ta petite amie.

— Ce n'est pas ma petite amie.

Tout le monde s'est figé et l'a regardé avec une sorte de stupeur horrifiée, comme s'il venait de lâcher un pet, en particulier la si gentille et si prévenante petite Anika. Elle le dévisageait comme si c'était *lui* qui venait de la trahir.

Il ne voulait pas déballer ses histoires ici, devant ses parents – et devant Mason, et Sammy, et toute la fichue clique du restaurant –, mais c'était plus fort que lui.

— Quoi ? a-t-il jeté à Anika. Tu croyais sérieusement qu'un stupide cadeau allait tout arranger ?

— Gael, s'il te plaît, a-t-elle plaidé les yeux déjà pleins de larmes. Ne fais pas ça.

Il a levé les mains au ciel.

— Il ne vient même pas de la Criterion Collection !

— Ils n'ont pas *Vertigo* dans leur catalogue, s'est-elle défendue faiblement.

— Et alors ? Si tu me connaissais aussi bien que ça, tu saurais que j'aurais préféré attendre qu'il sorte chez Criterion !

Cette fois, il avait vraiment crié.

— Eh, vieux, du calme, a dit Mason en posant la main sur le dossier de la chaise d'Anika.

Cette dernière ne l'a même pas regardé. Affichant sa mine la plus désolée, elle a dit à Gael :

— Pardon, Gael. Je ne pensais pas...

— Tu ne pensais pas ? Évidemment que tu ne pensais *pas* ! Vous ne pensez qu'à vous deux !

Il s'est alors tourné vers les autres.

— Parce que vous savez quoi ? Autant vous le dire, puisque vous êtes tous là, à me regarder comme si j'étais un extra-terrestre. Elle m'a trompé ! Avec lui !

Son index accusateur était pointé sur Mason. Ce qui n'a pas empêché Gael de surprendre le regard choqué qui traversait les yeux de son père – à moins que ce ne soit de la culpabilité ? Ses parents ne lui avaient jamais dit pourquoi ils se séparaient, et, depuis quelque temps, Gael se demandait si ce n'était pas à cause de son père. Il avait pris l'habitude de filer dans sa chambre dès que son téléphone sonnait et de fermer la porte avant de répondre, comme s'il avait quelque chose à cacher. Son père ne valait peut-être pas mieux que Mason ou Anika.

Mais il n'a pas eu le temps d'y penser davantage.

Parce que le serveur est arrivé avec une bougie plantée au milieu d'un plat de rolls pour entonner, entouré de ses collègues, *Joyeux anniversaire* version nippone.

(J'avais, là aussi, fait de mon mieux pour les retenir : dans la cuisine, la bougie s'était éteinte quatre fois de suite, mais, malheureusement, les serveurs avaient tous un briquet dans leur poche.)

Gael a brusquement repoussé sa chaise et il s'est levé. Il a bien essayé d'éviter le regard de ses parents, ceux de Sammy et de sa petite sœur, mais il était impossible de ne pas lire la stupeur et la confusion sur leurs visages. Il a tenté de fuir, mais il était cerné par les serveurs qui avaient arrêté de chanter pour crier tous en chœur : « Un vœu ! Un vœu ! »

Il a baissé les yeux sur les sushis d'anniversaire brandis sous son nez et les a fusillés du regard.

— Vous voulez un vœu ? s'est-il exclamé. Parfait. Je vais en faire un.

Les serveurs se sont tus, et un silence presque surnaturel a flotté dans la salle – les autres clients, qui avaient fini par comprendre qu'il se tramait quelque chose de plus intéressant qu'un banal dîner d'anniversaire, avaient les yeux braqués sur lui. Mais Gael, au point où il en était, se fichait pas mal de se donner en spectacle. Il a soufflé sa bougie, les yeux fermés, et, comme un gosse à qui on aurait promis l'arrivée du Père Noël, il a lentement soulevé les paupières.

— Pas de bol, a-t-il lâché en regardant les convives. Vous êtes toujours là.

Après quoi, il a tourné les talons et disparu.

(Quand je vous disais que les Romantiques ont le sens du drame.)

10.

L'art d'entretenir
une relation amoureuse

A u point où nous en sommes, autant vous révéler la défaillance (regrettable) dont je suis responsable. Pour cela, et afin que vous compreniez l'ampleur de la catastrophe, je suis obligé de remonter dans le passé.

Au milieu des années 90, j'ai encouragé l'idylle naissante de deux jeunes intellectuels de Chapel Hill, Caroline du Nord. C'était une belle rencontre, une histoire en laquelle j'avais la plus absolue confiance. Ces deux-là, croyez-moi, étaient vraiment *parfaits* l'un pour l'autre.

Il s'agit, vous vous en doutez, des parents de Gael. Et, honnêtement, de l'une de mes plus belles réussites.

J'étais trop confiant et j'ai manqué de vigilance. C'est sans doute là que réside mon erreur.

Le fait est que mon travail ne consiste pas seulement à rapprocher les gens. L'affaire conclue, je viens faire le point, à peu près tous les deux ans, histoire de voir comment les choses se passent. Parlez-en à n'importe quel couple qui a un peu de bouteille, ils vous diront tous la même chose : que l'amour fluctue, qu'il a ses hauts et ses bas.

Ce qu'ils ne savent pas, c'est que beaucoup de ces hauts ont à voir avec moi. Ont-ils un peu de vague à l'âme, ils se souviennent soudain des bons moments, aussi vifs et lumineux que s'ils venaient de se produire. Ou bien ils sont au milieu d'une dispute, et l'un des deux trouve subitement la force de se montrer raisonnable, de jouer l'apaisement et de passer à autre chose.

C'est un travail de maintenance qui se limite à ça : entretenir. Je ne peux pas ranimer une relation mourante, mais lorsque deux personnes éprouvent encore beaucoup d'amour l'une pour l'autre, je sais exactement de quelle façon les remettre sur les rails.

Le problème, avec les parents de Gael, c'est que j'ai loupé ma visite de contrôle. J'en ai même loupé *trois*. J'y ai pensé des centaines et des centaines de fois depuis, et je n'arrive toujours pas à comprendre comment j'ai pu me faire avoir.

Était-ce l'augmentation insidieuse mais régulière de ma charge de travail ? (Merci Tinder.) Le mariage royal de William et Kate ? (Vous n'imaginez pas le nombre de feux que je dois éteindre en cas d'idylle *planétaire*. À croire que je suis un virus contagieux. Tout le monde, tout à coup, tombe amoureux, et évidemment pas, ou rarement, de la bonne personne.) À moins que je n'aie simplement oublié de mettre mes tablettes à jour ?

Non, aucune de ces explications ne convient. J'ai connu des surcharges de travail dans des conditions bien plus pénibles (allez encourager l'amour en pleine épidé-mie de choléra, par exemple...) ; ce n'était pas non plus la première fois que je devais calmer des emballements intempestifs dus à un mariage célébrissime ; et ma mémoire est très nettement supérieure à celle de n'importe quel agenda électronique. Non, j'ai beau m'interroger, je ne comprends pas.

Quoi qu'il en soit, j'ai foiré. Et dans les grandes largeurs.

Le temps de m'apercevoir de mon oubli et de vérifier, il était trop tard. Je ne pouvais rien pour Arthur et Angela et j'ai dû assister, impuissant, à l'effondrement de leur mariage. C'est alors que j'ai vu Gael plonger tête baissée dans son histoire avec Anika, dans l'espoir d'éprouver (ce qui n'avait rien de surprenant) autre chose que de la tristesse et celui de restaurer sa confiance en l'amour. Et, comme je m'y attendais, j'ai vu Anika lui briser le cœur.

Et ce soir, je regardais Gael sombrer complètement.

Mais cette fois, je ne pouvais pas me contenter de regarder, je devais intervenir. M'impliquer même, et plus directement.

Son avenir en dépendait.

11.

Ce que j'entends
par « être créatif »

Gael s'est donc dirigé seul vers East Main Street, puis il a continué sur Franklin en ignorant les coups de fil répétés de sa mère. Arrivé là, il a tourné à gauche dans l'allée qui conduisait à Rosemary Street.

Comme chaque soir, la marchande de fleurs ambulante était à son poste.

— Un dollar le bouquet ! Un dollar !

Elle a tourné les yeux sur Gael et lui a tendu une rose.

— Tiens !

— Je n'ai pas d'argent, a répondu Gael en secouant la tête. Désolé.

— C'est gratuit, a-t-elle répliqué en poussant sa fleur vers lui.

— Non, merci.

Au lieu de céder, allez savoir pourquoi, elle a persévéré.

— Mais prends-la, puisque je te dis que c'est gratuit ! Je te l'offre !

Elle l'agitait avec une insistance de colporteur sous son nez, et il l'a prise.

— Merci.

— Je ne sais pas qui t'a brisé le cœur, mais crois-moi, mon p'tit gars, elle n'en vaut pas la peine.

Elle le dévisageait d'un air si convaincu que, l'espace d'un instant, il a failli lui demander comment elle pouvait en être si sûre. Mais elle a détourné le regard pour revenir à ses fleurs et à son refrain lancinant.

Gael a continué son chemin jusqu'à Rosemary Street qu'il savait moins fréquentée.

Un peu plus loin, une odeur de peinture fraîche lui a chatouillé les narines. Sur le mur de briques du plus minable des bars s'étalait, en grosses lettres encore dégoulinantes : TOUT PASSE, MON POTE, MÊME ÇA.

Il s'est arrêté pour méditer cette phrase un moment, puis il a secoué la tête et repris sa route. Quel intérêt, se disait-il, de s'interroger sur un stupide aphorisme, quand la vie n'avait pas de sens ?

Au cas où vous vous poseriez la question, je ne cherchais pas seulement à perfectionner ma technique de graffiti et faire concurrence à Banksy. Non. J'essayais d'atteindre Gael par tous les moyens possibles, que ce soit en poussant de vieilles marchandes à gaspiller leurs fleurs ou en inspirant de profonds aphorismes à des mains inconnues. Et, avant que vous ne critiquiez lesdits moyens – et l'efficacité de mon travail –, sachez que ce genre d'astuces fonctionne plutôt bien, d'habitude. Quoi qu'il en soit, Gael n'avait besoin que d'un tout petit peu d'espoir – cette fameuse lueur infime – pour tout remettre en perspective. Et je pouvais la lui donner, l'aider à se défaire d'Anika pour se tourner – enfin – vers l'Élue de son cœur.

Un plan qui n'avait qu'un seul défaut : la faille que je n'avais pas anticipée.

L'ennemie mortelle du grand amour depuis l'origine des temps.

Mesdames et messieurs, laissez-moi vous présenter mon ennemie jurée, véritable fléau de l'amour…

L'Antidote.

12.

C'est arrivé
(fortuitement) un soir

Gael n'était plus très loin de chez lui quand il est descendu du trottoir pour éviter une flaque de bière. Au même moment, une fille à vélo a brusquement déboulé sur lui. Il n'a pas eu le réflexe de s'écarter.

Heurtés par la roue avant, ses genoux ont fléchi puis il est tombé en avant, les mains devant lui pour amortir sa chute.

Il était là, étalé dans la mare de bière à laquelle il avait voulu échapper, quand il a senti une main sur son épaule.

— Oh là là, je suis désolée. Désolée...

Il s'est tourné lentement.

Derrière lui, un vélo rouge et blanc gisait sur le macadam et sur un sac plastique bien fermé contenant, apparemment, des hamburgers ou quelque chose d'approchant. Sa fleur, miraculeusement épargnée, était coincée dans les rayons de la roue avant. Elle tournoyait tranquillement, telle la métaphore agaçante de la résilience face à l'adversité.

Agenouillée à côté de lui, une fille vêtue d'un sweat-shirt à capuche, d'un T-shirt à l'effigie de la sauce piquante

Sriracha, d'un jean délavé et d'une paire de Birkenstock, le regardait anxieusement. Ses longs cheveux blonds dépassaient d'un casque de vélo couvert d'autocollants de groupes de musique dont il n'avait jamais entendu parler.

— Oh, c'est horrible ! répétait-elle les larmes aux yeux. Ça va ?

Il s'est assis.

— Oui, je crois. Qu'est-ce qui s'est passé ?

— C'est ce chat, a-t-elle dit. Il a surgi devant moi au beau milieu de la rue. J'ai tourné pour l'éviter et je te suis rentrée dedans.

— Sacrifier l'être humain plutôt que l'animal, c'est sympa.

Elle s'est décomposée.

— Je suis *vraiment* super désolée.

Il a aussitôt regretté ses paroles. Il s'en voulait assez d'avoir souhaité et formulé à voix haute la disparition de ses parents, pour ne pas s'en prendre, en plus, à une inconnue. Anika et Mason méritaient sa colère, mais le reste du monde ? Il ne voulait pas tomber à leur niveau. Mais c'était peut-être déjà fait.

Il a essuyé les saletés collées à sa chemise trempée.

— Je blaguais, a-t-il dit. J'aurais sans doute épargné le chat, moi aussi. Mais tu ferais mieux de regarder où tu vas, quand tu braques. J'aurais pu être une voiture.

— Je sais, a-t-elle répondu en se mordant la lèvre. J'ai eu un accident de vélo, il n'y a pas très longtemps. J'ai un peu perdu l'habitude.

Gael en a oublié la douleur à sa jambe et l'odeur de bière qui émanait de ses vêtements.

— Un accident ? Mince alors. Tu as été blessée ?

Le grand sourire qu'elle lui a fait lui a inspiré une réflexion d'une si profonde naïveté que lui-même s'est rendu compte de sa candeur : *ce n'était pas le genre de filles à tromper son petit copain.*

— Non, rien de grave, a-t-elle répondu. Mais je suis encore un peu stressée. Je pensais qu'un aller-retour chez Cosmic ne serait pas dangereux. Apparemment, je me suis trompée.

Une fille qui aimait Cosmic et qui ne le tromperait pas. Oh là ! s'est-il interrompu en se rendant compte de ce qu'il pensait. Il n'en était tout de même pas au point de se raccrocher à la première venue, hein ?

(Oh, si, il en était là. L'Antidote, permettez-moi de le dire – et d'insister –, est un risque *permanent.* En ce qui concerne Gael, étant donné l'ermite qu'il était devenu, je ne m'en étais pas trop soucié. Mais là, avec ce retour à la maison qui prenait des allures imprévues, j'étais sur la défensive. Parce que l'Antidote en question n'était pas une simple diversion, c'était aussi une Belle Rencontre. Vous savez, quand deux inconnus se rentrent dedans complètement par hasard et que tout le monde s'extasie, persuadé que c'était écrit. Les humains sont les champions pour se focaliser sur *comment* ils ont rencontré quelqu'un, au lieu de se demander *qui* est cette personne et *si* elle est vraiment la bonne. *Soupir.*)

Tandis que Gael se demandait si c'était vraiment un cliché de craquer sur la première fille venue après Anika, son estomac s'est mis à gargouiller.

— Tu reviens de chez Cosmic ? a-t-il demandé, hésitant.

Les yeux de la fille, d'un beau gris clair, ont aussitôt brillé.

— Oui. Tu es fan, toi aussi ?

— Qui ne l'est pas ? a-t-il répondu avec un immense sourire. C'est la meilleure cuisine de Franklin Street, avec Spanky.

— Voyez-vous ça ! Et... on peut savoir ce que tu préfères chez eux ? a-t-elle demandé comme si elle lui lançait un défi.

Gael et Anika avait eu d'interminables débats philoso-phiques pour réussir à déterminer, entre les nachos et les burritos, ce que Cosmic faisait de mieux. Un souvenir qui lui laissait un creux à l'estomac, et qui n'était pas seulement dû à la faim.

— Les nachos, a-t-il répondu. Et oui, je sais : tout le monde préfère les burritos.

— C'est ton jour de chance alors, parce que ce n'est pas mon cas. Tu veux qu'on partage ?

Gael a hésité. Il se disait qu'il ferait mieux de rentrer chez lui, se changer et avaler une aspirine pour calmer la douleur dans sa jambe. Il pourrait aussi s'excuser auprès de ses parents et réfléchir un peu à ce qui lui arrivait. Il pourrait même accompagner sa mère au yoga et, pour-quoi pas – tant qu'on y était –, dire à son père qu'une ou deux séances de psy avec lui ne serait pas *si* horrible. Ce serait peut-être même l'occasion d'élucider le com-portement mystérieux de son père.

Mais il savait, au fond, qu'il ne ferait rien de tout ça. Il regarderait encore plus de films, mangerait encore plus de chocolat, ferait encore plus de siestes superflues, et continuerait de se sentir complètement minable.

Et puis, est-ce qu'il ne méritait pas la chance qui lui tombait dessus ?

Une fille sympa et mignonne lui offrait son repas préféré le jour de son anniversaire. D'accord, il ne connaissait même pas son prénom, mais était-ce une raison de refuser ?

— Je ne vais pas te piquer ton dîner, a-t-il répondu pour lui offrir la possibilité de se rétracter.

— Mais si, au contraire ! a-t-elle répliqué en souriant. C'est même la moindre des choses après ce que je t'ai fait. Les nachos sont super simples à partager.

Elle s'est levée pour ramasser son vélo et le sac coincé dessous. Après avoir calé sa bicyclette sur le bord du trottoir, elle est revenue s'asseoir à côté de Gael.

— Au fait, je m'appelle Cara, a-t-elle dit en lui tendant la main.

— Et moi, Gael, a-t-il répondu en la lui serrant. Tu habites dans le coin ?

— Oui, par là.

Il l'a regardée avec plus d'attention.

— C'est drôle, je ne t'ai jamais vue au lycée.

— C'est normal ! Je suis en première année de fac.

— Où ça ?

— À l'Université de Caroline du Nord, a-t-elle répondu en tendant vaguement la main en direction du campus.

Une étudiante sympa, mignonne, qui aimait les nachos et, contrairement à Sammy, ne semblait pas bourrée de principes et de théories ultra snobs ? C'était presque trop beau pour être vrai.

— Bon, si on regardait l'état de nos nachos ?

Nos. Alors qu'il avait abandonné l'idée de refaire jamais partie d'un « nous ».

Cara a ouvert le sac plastique et sorti un emballage un peu dégoulinant qu'elle a posé sur ses genoux, sans se soucier de salir son jean, avant de l'ouvrir.

— Ils n'ont pas l'air d'avoir trop souffert, a-t-elle constaté en lui tendant la boîte. Qu'est-ce que tu en penses ?

81

Il a posé les yeux sur le carton. À l'intérieur, c'était une belle pagaille, à croire que la crème, le poulet grillé, le fromage fondu, les frites et les haricots rouges s'étaient donné rendez-vous là pour faire la fête.

— Super, a-t-il dit.

— Attends.

Elle a fouillé dans le sac pour en extraire une bouteille de sauce toute tachée et à moitié entamée.

— Tu leur as volé la sauce piquante ?

— Bah, elle était presque vide, a-t-elle répondu en haussant les épaules. On a fini la nôtre, ma coloc et moi, et j'oublie tout le temps d'en racheter... ça te gêne si j'en mets ?

— Non, vas-y.

Elle a copieusement arrosé le contenu de la boîte et pris une frite qu'elle a engloutie en fermant les yeux.

— Hum, j'adore le piment !

Il a regardé l'imprimé de son T-shirt.

— Ah, bon ? Je ne l'aurais pas deviné.

Elle a éclaté de rire.

— J'avoue ! Disons que la sauce piquante est ma révolte personnelle. Mes parents détestent tout ce qui est épicé. Pour moi, rien n'est jamais assez fort. Plus ça brûle, plus j'aime !

Gael a éclaté de rire à son tour.

— Moi aussi ! Mon père supporte à peine les cornichons ; ma mère, au moins, est de mon côté !

Il s'est rappelé qu'ils n'auraient plus jamais ce genre de disputes au dîner, mais il a vite repoussé cette réflexion.

Cara a pris une autre frite.

— Tu dois trouver pathétique que la sauce piquante soit ma plus grande rébellion, hein ?

Celle, toute récente, d'Anika lui est aussitôt revenue en tête ; il l'a écartée. Il ne cherchait pas une fille qui ruait dans les brancards. Il voulait une fille pour qui la sauce piquante était le summum de la transgression.

— Ça n'a rien de pathétique, a-t-il affirmé. La plupart des révoltés que je connais sont des abrutis qui cherchent seulement un prétexte pour justifier leurs conneries, mais c'est plus classe de se prétendre révolutionnaire. Tu vois ce que je veux dire ?

Elle l'a regardé droit dans les yeux.

— Parfaitement.

(Je voyais très bien, moi aussi, ce qu'il voulait dire. Mais qu'Anika ne soit pas la fille de ses rêves – ni celle qui lui était destinée – ne signifiait pas que Cara l'était. Et ce qui était maintenant certain, c'est que j'allais avoir le plus grand mal à convaincre Gael de cette nuance.)

Gael n'a pas détourné le regard. C'est Cara qui, au bout d'un moment, a baissé les yeux pour piocher une frite dans le carton avec un rire nerveux.

— Quoi qu'il en soit, a-t-elle repris, la rébellion et moi, ça fait deux. Même à la fac. Tout le monde ne pense qu'à s'éclater, à draguer ou se faire draguer par des types le plus souvent à moitié imbibés. Je préfère me faire un bon film chez moi. Je suis tranquille, et je peux manger autant de piment que je veux !

— Je suis d'accord, a répondu Gael en prenant une frite à son tour. Je regarde aussi des films sur mon ordi, sauf que ma sœur et ma mère passent leur temps à débarquer dans ma chambre, et ma mère est prof d'histoire féministe. Elle *déteste* les films violents. Chaque fois qu'elle me surprend devant mon écran, elle me regarde en hochant la tête, comme si c'était moi le psychopathe, pas l'abruti du scénario.

Il parlait d'un ton léger, mais une question le tarabustait depuis un moment : s'il avait été plus cool, plus audacieux et plus provocateur – comme Mason, par exemple –, est-ce qu'Anika l'aurait plaqué ? Ce n'était pas dans son tempérament, hélas ! Il n'avait pas envie de se saouler chaque week-end, ou de sortir avec le maximum de filles. Sa révolte consistait peut-être seulement à espérer que sa mère n'allait pas débarquer trop souvent dans sa chambre pendant qu'il regardait un bon Tarantino. Est-ce que cela voulait dire qu'il était condamné à rester seul ?

Comme si elle avait lu dans ses pensées, Cara a pioché une nouvelle frite qu'elle a cognée contre celle de Gael en disant :

— Aux rébellions ! Même discrètes.

Ils ont éclaté de rire ensemble et continué de manger. Et Gael ne pensait (presque) plus à Anika, ni à son dîner d'anniversaire raté, ni à ce qui avait causé la séparation de ses parents, ni à la perfidie des amitiés prétendument indestructibles. Ils parlaient des chaussures de marche que Cara désespérait de trouver, de l'agacement que leur inspiraient certains étudiants sur Franklin Street, et des autocollants sur son casque de vélo. Et Gael se sentait presque redevenu normal.

Quand le carton de Cosmic s'est trouvé vide, Cara l'a remis dans le sac plastique et s'est levée.

— Bon, je dois y aller. J'ai promis à ma coloc qu'on regarderait un film ensemble.

Le cœur de Gael s'est brièvement serré. Ce dîner impromptu était comme un sursis dans le désastre qu'était devenue sa vie. Il ne voulait pas qu'il s'arrête.

— OK, a-t-il pourtant dit en se levant à son tour. Heu, merci d'avoir partagé tes nachos avec moi… C'était sympa.

Il avait l'air débile et il le savait.

— Pas de quoi, a répondu Cara. Je te trouve sympa, moi aussi. Et encore pardon de t'avoir fait mal avec mon vélo.

— T'inquiète, ça va, a prétendu Gael. Je n'ai pas mal.

(En fait, maintenant qu'il était debout, il sentait une douleur lancinante dans la jambe. Il avait été si absorbé par Cara qu'il ne s'en était pas rendu compte.)

Cara, qui venait de ramasser son vélo, s'est exclamée :

— Oh, ta fleur ! Je ne l'avais même pas vue !

Elle l'a délicatement dégagée des rayons.

— J'espère que je ne t'ai pas mis en retard pour un rendez-vous…

Elle avait laissé la fin de sa phrase en suspens et lui tendait sa fleur.

Gael ne la voulait pas, mais il l'a prise quand même.

— Pas de souci, a-t-il répondu. Je n'ai pas de rendez-vous.

Elle a souri.

— Bon, eh ben, salut. C'était sympa de te rencontrer.

Elle a mis son casque et enfourché son vélo.

En la voyant s'éloigner, soudain, Gael a paniqué. Quoi ? C'était comme ça ? Il n'allait plus jamais revoir cette fille miraculeuse, tombée du ciel pour lui offrir un bref instant de bonheur bien mérité ?

Il s'est élancé derrière elle.

— Attends !

(J'ai envoyé un courant d'air, mais il n'a servi à rien : il tenait sa fleur bien serrée dans sa main.)

Elle s'est arrêtée, et il est arrivé en boitillant.

— Oui ?

Il ne savait pas quoi faire maintenant qu'il était planté devant elle. Il n'avait pas réfléchi jusque-là.

(De mon côté, je voulais tellement qu'il fasse demi-tour, rembobiner cette rencontre intempestive et l'effacer, mais j'étais impuissant.)

— Tiens, c'est pour toi, a-t-il dit à Cara en lui tendant sa fleur.

— Oh, c'est adorable !

Elle l'a prise et l'a coincée à côté de sa sonnette.

— Voilà. Comme ça, elle ne risque pas de tomber. Bon, a-t-elle repris en agrippant son guidon, cette fois, je m'en vais.

C'est alors que, mû par une impulsion soudaine, Gael a fait un geste pour lui des plus inattendus. (Il ne se rendait même pas compte de ce qu'il faisait ; tout ce qu'il savait, c'est qu'il ne voulait pas qu'elle s'en aille). Il a pris le visage de Cara à deux mains et, le cœur battant, il lui a planté un baiser sur les lèvres.

Et, durant une brève seconde, alors qu'elle répondait à son baiser, il a senti son cœur s'envoler.

Mais elle s'est écartée avec un air choqué et il s'est décomposé.

— Pardon. Je suis désolé, je n'aurais jamais dû. Je...

— Non, non, l'a-t-elle interrompu. Je suis juste... surprise.

— Moi aussi. Je ne sais pas ce qui m'a pris. Je ne sais même pas comment tu t'appelles. Ton nom de famille, je veux dire.

— Je, heu, Thomson. Je m'appelle Thomson, a-t-elle bredouillé.

Il lui a tendu la main.

— Et moi, Brennan. J'aimerais bien te revoir.

— Tu veux...

— Je veux dire sans attendre que tu me tombes dessus par hasard en vélo. Du style prévu. Comme un... rendez-vous ?

Elle a eu un rire embarrassé, et moi je n'étais pas loin de penser que le désastre allait être évité quand, tout à coup, son visage a changé.

— D'accord, a-t-elle lâché dans un sourire. Ça marche !

Gael lui a rendu son sourire, sans penser un seul instant à la fille que j'avais en réserve pour lui, une fille qu'il aurait vue facilement s'il avait regardé au bon endroit.

Et si j'avais agi *plus vite*.

J'étais mortifié.

Et dans de beaux draps.

Lui aussi, d'ailleurs.

13.

Comment Gael
est devenu sentimental

C omme vous l'aurez déjà deviné, Gael aimait être amoureux. Il était, autrement dit, amoureux de l'amour. Et, malheureusement pour moi, je ne pouvais pas y changer grand-chose. Voici comment, au fil des ans, cette tendance s'était épanouie :

À sept ans :

Une récréation pluvieuse de CE1. Gael s'était réfugié sous la glissière métallique du grand toboggan de la cour. Le souvenir d'une cascade de boucles auburn et d'une constellation de taches de rousseur. Mallory Machin-Chose (elle avait déménagé dans l'Ohio l'année suivante et Gael ne se rappelait pas son nom) s'est assise à côté de lui.

— On n'a pas le droit de rester là, a-t-elle dit.

— Ah, bon, a répondu le petit Gael. Tu veux qu'on rentre ?

Il aimait bien Mallory. Elle s'asseyait toujours à côté de lui pour dessiner. Elle avait une super boîte de *cent vingt* crayons de couleur, avec des noms incroyables comme « Sable du désert » ou « Macaroni au fromage » qui n'existaient pas dans sa boîte de quarante-huit crayons. Elle lui prêtait toutes les couleurs qu'il voulait, même si c'était pour colorier la moitié de sa feuille et que ça les usait drôlement.

Elle l'a regardé, puis s'est rapprochée de lui (il se souvenait très bien de son pantalon rose bonbon collé à son jean bleu foncé), et elle lui a dit :

— Je t'aime, Gael.

Avant de l'embrasser sur la joue.

Et de partir en courant.

C'est la maîtresse qui est venue le chercher un peu plus tard, en lui disant que la fin de la récré se passerait dans la classe, où il ne pleuvait pas tant.

Mallory Machin-Chose avait pu, le même après-midi, dire à deux autres garçons et une fille qu'elle les aimait aussi, durant ce bref instant sous le toboggan, tandis que la pluie chantait sur la glissière comme une douce sérénade, Gael avait senti, pour la première fois de sa vie, battre son petit cœur à toute allure.

À dix ans :

Le jour de la Saint-Valentin. Ses parents ne fêtaient jamais la Saint-Valentin. Ils offraient une jolie carte à Piper, une autre à lui, avec parfois un de ces bonbons ridicules en forme de cœur, mais ils ne se faisaient jamais de cadeaux entre eux. Sa maman disait que c'était une fête purement commerciale, créée dans le seul but de vider les poches des couples. Quant à son père, il n'aimait pas cette façon cruelle de faire souffrir les célibataires.

Gael, à court de dentifrice, est allé dans la salle de bains de ses parents, et là, il a vu (non, ce n'est pas la scène à laquelle vous pensez), écrit au rouge à lèvres sur le miroir : *Je t'aime un peu plus chaque année.*

Un message secret, uniquement destiné à son père. Sa mère pouvait dénigrer cette fête tant qu'elle voulait, elle ne pouvait pas s'empêcher de faire quelque chose pour celui qu'elle aimait.

À treize ans :
Eternal Sunshine of the Spotless Mind.
La claque.
Gael avait regardé ce film avec Mason, à cause d'un commentaire posté sur Reddit, selon lequel Charlie Kaufman était « probablement le meilleur scénariste de tous les temps ». Mason avait trouvé l'histoire « méga relou », mais Gael avait suivi de bout en bout (et la mâchoire décrochée) les aventures d'un empoté (auquel il s'identifiait vaguement) et de sa petite amie (une bombe nommée Clémentine) qui, après s'être mutuellement effacés de leurs mémoires respectives, faisaient tout pour se retrouver ensemble. Clémentine lui avait fait forte impression (pas seulement à cause de ses cheveux roux), et ses pensées avaient suivi le cheminement suivant :... quand on aime VRAIMENT quelqu'un, on peut TOUT ESSAYER pour l'effacer de sa mémoire, ÇA NE MARCHE PAS...
... Clémentine est canon...
... même les bourrins peuvent sortir avec des filles canon, parfois...
... ça craint, l'amour...
... je veux la même chose.

À dix-sept ans :
Peut-être l'événement crucial, celui qui a cimenté tout le reste. Celui qui, en tout cas, l'a convaincu de cela : tout ce qu'il attendait, tout ce qu'il espérait, tout ce en

quoi il croyait (ou avait cru jusqu'à la séparation de ses parents) et qu'il cherchait depuis cette première déclaration d'amour sous le toboggan de la cour, était à sa portée.

Un e-mail d'Anika, reçu le lendemain du spectacle au planétarium :

Salut,

Je pensais à toi, ce matin.

Et ça m'a fait plaisir.

Voilà. C'est tout.

xx

A

14.

Tentative de diversion – premier essai (raté)

Gael, en arrivant chez lui, s'efforçait de comprendre ce qui venait d'arriver.

Il avait quitté une salle de restaurant hostile et un dîner d'anniversaire pourri pour se retrouver au beau milieu de la rue, à partager son plat préféré avec une adorable inconnue.

Qu'il avait embrassée.

Sur la bouche.

Comme ça.

C'était complètement dingue.

Il savait qu'il ne devait pas s'emballer car il venait de se faire plaquer. C'était facile de se rabattre sur la première venue pour faire passer, comme on dit, la pilule. Ce n'était pas pour rien qu'on parlait de relation mouchoir. Le meilleur antidote disponible contre le chagrin d'amour. Quel cliché ! C'était tellement évident.

D'un autre côté, c'était tellement incroyable. Rien ne lui disait que…

Il a chassé comme d'un coup de pied dans un tas de feuilles mortes les réflexions stupides qui lui passaient par la tête.

Il était en vrac, voilà la vérité, se disait-il (et pour le coup, assez lucidement). Inutile d'entraîner quelqu'un d'autre dans son malheur.

(J'étais parfaitement d'accord. C'est d'ailleurs pour cette raison que j'avais prévu d'attendre un peu avant de m'occuper sérieusement de la véritable idylle de Gael. Le temps qu'il aille mieux. Malheureusement, moi non plus, je n'obtiens pas toujours ce que je désire. Tant s'en faut.)

Gael se demandait à quel moment « bientôt » passait dans la catégorie « beaucoup trop tôt » pour envoyer un message sur Facebook à Cara, quand il a vu la dernière personne à laquelle il s'attendait – Sammy – descendre les marches de son perron.

— Oh, a-t-elle lâché, surprise, avant de s'arrêter net devant l'arbre qu'il avait toujours connu là (celui duquel Mason était un jour tombé, sans se faire, évidemment, le moindre mal). Je suis revenue du restaurant avec ta mère. Je partais.

— Heu, pardon pour la scène, tout à l'heure.

Ses excuses dûment formulées, il est revenu à sa rêverie sur Cara. Son T-shirt génial, son adoration de la sauce épicée, ses immenses sourires…

Il était si absorbé qu'il ne voyait pas Sammy se dandiner d'un pied sur l'autre, ni sa façon charmante de coincer une mèche de cheveux derrière son oreille.

— Pas de souci, a-t-elle dit. Je comprends.

Il a opiné sans écouter vraiment. Il se rejouait la scène du baiser, encore émerveillé qu'une chose aussi miraculeuse lui soit arrivée.

Était-il complètement débile de se dire qu'il pouvait *déjà* craquer pour quelqu'un d'autre ? (Oui.)

Et si c'était débile, était-ce si grave ?

(Encore une fois, oui.)

Il se sentait nettement mieux qu'il ne l'avait été depuis qu'Anika l'avait humilié en public. La désolation qui l'habitait s'était éclairée, il avait eu l'impression de flotter, comme si « ici » et « maintenant » étaient devenus moins lourds à supporter.

— Je suis contente de te voir, a repris Sammy en se balançant toujours d'un pied sur l'autre. En fait, je voulais te parler...

Elle le regardait, les yeux un peu écarquillés et interrogatifs.

Elle attendait la réaction qui lui permettrait de sortir la vérité – une vérité qu'elle voulait dire depuis un moment sans en trouver l'occasion.

(Allons, Gael, c'est facile : écoute-la. Demande-lui ce qu'elle veut dire.)

Mais (bien sûr) ce n'est pas ce qu'il a fait.

— Hein ? Tu disais quoi ?

Les joues de Sammy ont viré au rouge et elle a vite repris les deux pas qu'elle avait faits vers lui.

— Rien, s'est-elle empressée de répondre. Juste qu'on se voit lundi.

Sur quoi elle s'est enfuie à toute allure.

Gael, de son côté, est rentré chez lui sans accorder un seul regard, ni une pensée, à Sammy Sutton.

15.

Comment étouffer un béguin dans l'œuf (première phase)

Malgré plusieurs tentatives ingénieuses de faire pencher la balance de mon côté (comprenant, entre autres, une interruption de réseau – téléphone *et* Wi-Fi – chez son père), dimanche, Gael avait trouvé Cara sur Facebook et lui avait demandé si elle voulait l'accompagner chez REI[1]. Il s'était dit qu'un endroit aussi neutre qu'un magasin de sport serait plus facile pour commencer.

Il aurait peut-être attendu s'il ne s'était pas ennuyé à mourir, ce week-end-là, chez son père. L'appartement, un trois-pièces quelconque, n'avait même pas de lecteur Blu-ray. J'avais beau avoir étendu l'abonnement de son père à une chaîne de cinéma payante, même la télé ne l'a pas occupé très longtemps – entre les épisodes de *Game of Thrones* et les appels de Mason (à aucun desquels il n'a répondu), tout lui rappelait que la trahison n'était pas réservée aux royaumes peuplés d'elfes et de dragons.

1. Magasin d'équipements de loisirs américain.

Sans parler du fait que son père le rendait dingue. Gael s'était excusé auprès de lui et de sa mère (autre détail agaçant en cas de séparation des parents : on doit tout répéter deux fois). Et non seulement son père avait passé l'éponge, mais il s'évertuait par tous les moyens à recréer des liens (à savoir : préparation collective du petit déjeuner, courses au marché tous ensemble, et même balades après dîner), ce qui ne faisait que renforcer les doutes de Gael sur les raisons qu'il avait de se sentir effectivement coupable.

Résultat, Gael étouffait. Il avait donc raconté à Cara qu'il avait besoin d'une chose aussi inutile que des chaussettes de laine et lui avait demandé si elle voulait bien lui apporter ses conseils d'experte. Elle n'avait pas hésité à dire oui.

L'heure était donc venue pour moi de déployer la première phase de l'Opération d'urgence « Détourner Gael de la Mauvaise Cible ». J'ai un trésor de moyens éprouvés pour étouffer dans l'œuf une idylle naissante ; pour Gael, j'étais déterminé à les employer tous.

Voici, sans plus attendre, mon œuvre :

Première parade : l'Agacement

— Salut ! a lancé Cara en montant dans la voiture de Gael.

Il l'attendait depuis dix minutes, mais au lieu de s'excuser, elle a bouclé sa ceinture. Gael a démarré et ils ont quitté le campus pour aller rejoindre l'autoroute.

— Je suis content que tu aies pu venir, a-t-il dit en décidant de ne pas lui en vouloir. Tu cherches des chaussures de marche, non ?

Elle a souri, relevé ses cheveux en queue-de-cheval et s'est adossée confortablement à son siège.

— Exactement, a-t-elle répondu en posant les deux pieds sur le tableau de bord.

Gael détestait ce geste, mais il n'a pas relevé. Et, comme sa chanson préférée passait à la radio, il a monté le son.

Quelques secondes plus tard, Cara a changé de station sans lui demander son avis.

Par contre, elle lui a demandé s'ils pouvaient s'arrêter chez Starbucks, parce qu'elle avait vraiment super envie d'un latte « pumpkin spice ».

(Je n'exerçais aucun contrôle mental sur Cara, je le jure. Rappelez-vous : le libre arbitre et tout le bazar. Il se trouve seulement que Cara s'était censurée dans ses précédentes relations, et il était parfaitement légitime que je l'encourage, même légèrement, à écouter la musique qu'elle voulait et à assumer sa passion pour Starbucks. Je savais, bien sûr, que ces libertés agaceraient Gael, mais je n'y étais pour rien.)

Deuxième parade : l'Incompatibilité

Le parking de REI était, sans explication apparente, inaccessible. Gael et Cara ont donc été obligés de se garer près du cinéma (c'est fou ce que les gens peuvent être accommodants quand vous placez adroitement un ou deux panneaux « interdit » à l'air officiel). Une fois descendu de voiture, Gael a pu voir la tenue complète de Cara : des Birkenstock, un jean déchiré et un T-shirt Willie Nelson. Anika ne sortirait jamais dans une tenue aussi décontractée, s'est-il dit, mais Cara avait l'air super.

— Alors, prêt à débourser des sommes astronomiques en équipement de randonnée ? lui a-t-elle demandé avec empressement. Et à se faire rembourser après usage, en profitant de la politique de retour insensée du magasin ?

Gael a éclaté de rire.

En passant devant le cinéma, le soleil d'automne éclairait si bien l'affiche du prochain film qu'il était impossible de ne pas la voir. Gael en a presque crié de bonheur.

— Génial ! Le nouveau Wes Anderson !

Elle a haussé les épaules.

— Quoi ? a demandé Gael. Tu n'aimes pas ses films ?

Elle est descendue et remontée sur le trottoir en sautant avant de s'agripper à la barre d'un panneau « interdit de stationner » pour tournoyer autour. Au loin, une fontaine gargouillait joyeusement.

— Je ne sais pas, a-t-elle répondu d'une voix légère. Pour être sincère, je n'ai pas d'avis. Je ne regarde pas autant de films que ça. Sauf ceux de James Cameron. Lui, j'adore. Il est génial. C'est vraiment le meilleur réalisateur de tous les temps !

Troisième parade : la Jalousie

Dans le magasin, après les rayons « boissons énergisantes » et « canoë-kayak », ils se sont arrêtés au rayon « chaussures femme ». Cara était en train de choisir ses modèles, lorsqu'un vendeur – un jeune type musclé qui avait l'air d'un croisement entre Mason et Bradley Cooper – s'est précipité pour l'aider.

Il est revenu de la réserve avec une pile de boîtes et s'est agenouillé devant Cara. Elle a glissé les pieds dans la première paire.

— Trop serrées ? a demandé le type en écrasant le bout de la chaussure avec ses grosses paluches.

Elle a fait non de la tête.

— Elles me vont parfaitement.

Est-ce qu'elle draguait ? s'est demandé Gael en la voyant sourire.

Puis elle s'est levée pour faire quelques pas dans le rayon avant de revenir s'asseoir.

— Je peux essayer les autres ?

— Bien sûr, s'est empressé le vendeur.

Ils ont continué ce manège un moment et, chaque fois que Cara se levait pour essayer une nouvelle paire, Gael voyait comment le type la suivait des yeux – et il se doutait que ce n'était pas dans l'espoir de lui vendre une carte de fidélité.

À la fin, Cara a demandé de réessayer la première paire et a lâché :

— Je les prends.

Ensuite, elle s'est tournée vers Gael.

Elle était si charmante qu'il avait du mal à vraiment se formaliser de son amour pour *Titanic* ou les boissons de Starbucks.

— Merci de m'avoir supportée, a-t-elle dit.

— Oh, pas de quoi, a répondu Gael.

Il pouvait avoir l'air détaché, je savais exactement ce qu'il était en train de penser : *il était prêt à supporter bien davantage pour passer un peu de temps avec elle.*

Autrement dit, le bilan n'était pas franchement convaincant.

Conclusion :
Il était temps de passer à la Phase deux.

16.

Tout le monde se prend pour un conseiller du cœur

Le jour suivant, à l'heure du déjeuner, Gael s'est dirigé vers son endroit habituel dans la cour du lycée. La fin du mois d'octobre approchait. Les feuilles étaient tombées et la température avait résolument baissé. Plus personne n'allait traîner dehors, sauf lui. Errer entre les tables de la cantine à la recherche d'une place disponible ne l'enthousiasmait guère.

Je ne vais pas vous ennuyer avec les us et coutumes communs à tous les réfectoires scolaires. Votre expérience, ou ce que vous avez vu dans les films, vous en ont appris assez sur la constitution des clans et leur répartition habituelle ; le lycée de Gael ne faisait pas exception. Avant l'Ultime Trahison, Gael s'installait toujours avec sa bande – Anika, Jenna, Danny, Mason et de temps en temps une ou deux copines du cours de biologie de Jenna.

Mais depuis le jour fatal, il déjeunait tout seul dans la cour.

C'est la raison pour laquelle il a été passablement surpris quand il a vu débarquer, alors qu'il s'asseyait par terre pour déballer le sandwich jambon-fromage que sa mère avait bâclé ce matin, Danny et Jenna.

— Écoute, a dit Danny en rajustant la bretelle de son sac à dos, ça suffit ces déjeuners dehors.

Gael a mordu dans son sandwich (ses déjeuners étaient tellement meilleurs quand son père s'en occupait).

— Allez, a renchéri Jenna, viens.

Côté capillaire, Jenna était l'exact opposé de Danny. Tandis qu'il lissait ses cheveux avec du gel, ceux de Jenna, auburn et frisés, donnaient l'impression qu'elle avait mis les doigts dans une prise électrique. Ils formaient un drôle de couple tous les deux. Elle s'est tournée vers Danny qui a hoché le menton.

— Tu nous manques, a-t-elle alors dit à Gael. Et puis on se gèle les miches ici.

Ça, c'était une expression de Danny. Il lui avait soufflé son texte, s'est dit Gael. N'empêche, c'était sympa de sa part.

Il a avalé sa bouchée et bu une gorgée d'eau.

— Je n'ai aucune envie de voir Anika et Mason, a-t-il déclaré.

— Ils ne déjeunent plus avec nous, a répliqué Jenna.

Il a senti une pointe de contrariété dans sa voix et son sourire était un peu forcé.

Celui de Danny était plus franc.

— C'est eux qui ont déconné, et c'est toi qui te ramasses le bout du bâton merdeux ? Ce n'est pas juste.

Jenna a éclaté de rire. C'est elle qui avait lancé cette expression, un jour, à la cantine, et elle était restée. Ils pouvaient l'employer autant de fois qu'ils voulaient, elle déclenchait toujours la même hilarité.

Alors Gael a ri lui aussi.

Ils avaient raison : il se tapait, en effet, le bout du bâton merdeux, et ce n'était pas juste. Pourquoi laisser Anika et Mason détruire aussi ses autres amitiés ?

Sans dire un mot, il a remballé son sandwich, ramassé son sac et suivi Jenna et Danny vers la cantine et leur table habituelle.

Anika et Mason étaient assis de l'autre côté de la salle, avec deux copines du cours de danse Bhangra d'Anika, et ils semblaient bien s'amuser. Il s'est efforcé de les ignorer.

Danny et Jenna ont passé la demi-heure suivante à se chamailler sur la meilleure saison de *Dr Who*, puis à se demander s'ils avaient vraiment besoin de se fatiguer pour le devoir de biologie, ou s'ils pouvaient chercher le corrigé sur Internet.

Gael se contentait d'écouter, quand Danny, comme s'il venait de découvrir la lune, s'est subitement arrêté de parler pour le regarder avec excitation.

— J'ai trouvé ! Tu devrais sortir avec une autre nana ! Surtout si elle est plus canon qu'Anika.

Jenna l'a rembarré d'une tape sur son bras maigre.

— N'importe quoi ! Il vient de se faire plaquer. Il a besoin de se remettre, pas de se rabattre sur quelqu'un d'autre.

Et puis elle s'est tournée vers Gael pour le regarder d'un air sérieux. Même ses taches de rousseur avaient l'air de se tenir à carreau.

— Tu connais la règle, en cas de divorce ? « Engager un avocat, supprimer son compte Facebook, et faire de la gym. » C'est écrit sur Reddit, et c'est exactement ce que je te conseille de faire. À part l'avocat, évidemment. Ah, si, encore un truc. Arrête d'humilier Anika en public. Le coup du restau, tu aurais pu t'en passer…

Waouh, s'est dit Gael, elle était cash. Mais quand même un peu gonflée. Parce que s'il voulait bien admettre qu'il avait humilié Anika en public, dans ce cas-là, qu'est-ce qu'elle lui avait fait, *elle* ?

Il cherchait une façon élégante de se défendre, mais Danny a haussé les épaules et lâché :

— Ce que je voulais dire, c'est qu'il aura beaucoup moins de mal à oublier Anika s'il sort avec quelqu'un d'autre, c'est tout.

Jenna a levé les yeux au ciel.

— Tu as entendu cette réplique à la télé et tu voulais la recaser, c'est ça ?

— Peut-être, a répliqué Danny en riant avant de l'embrasser.

Coincé entre leurs démonstrations publiques et leurs avis contradictoires, Gael se sentait encore plus mal. En fait, aucun des conseils qu'on lui avait donnés dernièrement ne semblait l'aider.

La veille au soir, son père lui avait donné un des bouquins de développement personnel qu'il avait lus quand il avait quitté la maison et il lui avait demandé pour la millième fois s'il était sûr de ne pas vouloir tenter la thérapie avec lui.

Le matin même, sa mère l'avait quasiment supplié de l'accompagner à son cours de méditation tantrique du vendredi.

Juste avant de partir au lycée, Piper lui avait lu son horoscope qui l'engageait « à s'ouvrir aux personnalités de son entourage offrant des discussions profondes et des défis intellectuels enrichissants ». (D'accord, je suis à l'origine de celui-là.)

Et pour finir, en cours de chimie, juste avant le déjeuner, Mason lui avait rappelé (sans goûter, visiblement, tout le sel de l'ironie) que c'était *maintenant* qu'il avait le plus besoin d'un *ami*.

Le problème de ces conseils est celui de tous ceux qui ont un rapport avec moi : les gens suggèrent ce qu'ils voudraient *pour eux-mêmes* ou ce qu'il *leur* faudrait. Mais aimer est une expérience si intime que quasiment personne, excepté moi, ne peut savoir exactement ce dont quelqu'un a besoin – et même moi, il m'arrive de me tromper.

Danny s'est détaché de Jenna pour regarder Gael dans les yeux.

— Allez, il doit bien y avoir une fille que tu trouves mignonne.

Gael n'avait aucune envie de leur donner un os à ronger en leur parlant de Cara. Un baiser impulsif et un tour chez REI ne prouvaient rien.

Alors il a secoué la tête, en espérant que ni Danny ni Jenna ne verraient le rouge qui lui était monté aux joues.

17.

Bienvenue dans la friend zone (temporairement, du moins)

L e mardi suivant, Gael a demandé à Cara si elle voulait étrenner ses nouvelles chaussures de marche sur le parcours de Bolin Creek, derrière chez lui.

Il a été surpris de l'entendre répondre « d'accord » aussi vite. (De mon côté, connaissant Cara, je ne l'étais pas.)

— Alors ? lui a-t-il demandé tandis qu'ils avançaient au milieu des grands arbres. Pas mal aux pieds ?

— Pas du tout, a-t-elle répondu avec force.

Pourtant, à la façon dont elle marchait, il en doutait.

— Tu es sûre ? Je peux te ramener en voiture jusqu'au campus, si tu veux, tu pourras changer de chaussures. On peut s'arrêter, sinon. Ou faire autre chose.

Il s'est mordu la langue en se rappelant de ne pas se montrer si empressé. Mais il voulait tellement oublier son ancienne vie ; cette fille, qui ne savait strictement rien de ses amis, était la personne idéale. Tant que ses pieds ne se mettaient pas à saigner.

— Je t'assure, on n'est pas obligés de continuer.

— Ça va très bien, a-t-elle répliqué en traînant ses chaussures dans les feuilles mortes. Comme le vendeur a dit, elles ont seulement besoin de s'assouplir.

Gael a chassé l'image du beau gosse universel qui se pavanait devant ses yeux. Ce n'était pas parce que Anika était allée voir ailleurs que toutes les filles étaient comme elle. Le vent soufflait dans les feuillages, il entendait le ruisseau chanter au loin, le soleil jouait joliment sur le visage de Cara, et il ne pouvait s'empêcher de penser à leur baiser.

Un moment merveilleux.

Inattendu.

Qui lui avait rappelé la première fois qu'il avait embrassé Anika.

Mais sans lui inspirer une réflexion du genre « oh-par-pitié-achevez-moi-tout-de-suite-parce-que-je-n'oublierai-jamais-Anika ». Non. Plutôt du genre : « peut-être-que-la-vie-vaut-le-coup-d'être-vécue-après-tout ».

Et elle lui avait rendu son baiser. Brièvement, mais rendu tout de même. Il en était certain.

Il s'est obligé à cesser de mordiller le coin de son pouce. Les beaux gosses universels ne se rongent pas les doigts quand ils sont nerveux. Les beaux gosses universels, de toute façon, ne sont *jamais* nerveux. Les imbéciles.

Ils arrivaient dans une clairière.

— Si on va par là, a-t-il dit en désignant un chemin, on arrive près du torrent. Il y a un banc. On pourra se reposer un peu.

— Super, a répondu Cara.

Elle est passée devant lui, visiblement pressée de soulager ses pieds.

Quand il l'a rattrapée, le bruit du torrent était presque aussi fort que les battements de son cœur qui cognait à ses tempes. Cara n'était peut-être pas parfaite, se disait-il, mais qui l'était ? Qu'est-ce que ça pouvait faire si sa culture cinématographique et musicale était à revoir ? Si elle était toujours en retard ? (Cette fois, il ne l'avait attendue que huit minutes au pied de sa résidence.) Si elle n'était pas amatrice de bon café comme lui ? Si elle était parfois un peu directive...

Cara s'est assise sur le vieux banc et, tandis qu'elle s'empressait de défaire les lacets de ses chaussures, Gael a remarqué une petite plaque métallique qu'il n'avait jamais vue :

POUR MARY, QUI A FAIT LE BONHEUR
DE CHACUN DE MES JOURS
TU RESTERAS À JAMAIS DANS MON CŒUR

Il voulait presque se remettre en route pour trouver un endroit moins romantique, mais il était trop tard. Cara l'avait pris par la main et le forçait à s'asseoir à côté d'elle.

Cette épigraphe à la gloire de l'amour était peut-être un signe, s'est-il dit alors.

(Non, Gael, ce n'était *pas* un signe.)

Une fois assis sur le banc de l'amour éternel, il a ouvert son sac à dos et sorti les bouteilles d'eau. Il en a donné une à Cara et a englouti la sienne en trois ou quatre goulées.

— Waouh ! s'est exclamée Cara. Quelle descente !

Il a eu un rire embarrassé.

— J'avais soif.

Il a rangé sa bouteille dans son sac, puis il a levé les yeux sur Cara.

Elle avait les joues rouges et le front humide de sueur, ses yeux brillaient et ses cheveux étaient attachés dans un genre de chignon qui n'aurait jamais eu l'approbation d'Anika. Ses vêtements non plus, d'ailleurs : elle portait un short de cycliste et un grand T-shirt à manches longues de chez Bandido, un restaurant mexicain pourri de Franklin Street. La seule fois qu'il était allé marcher avec Anika, elle portait un legging fuchsia assorti à une brassière à pois.

Il y avait tout de même quelque chose de rafraîchissant dans la façon qu'avait Cara de ne pas se soucier de ses vêtements. Quelque chose d'authentique, de sincère. En tout cas, pour lui, ce n'était pas une tenue de traîtresse.

Une mèche de cheveux s'était échappée de son chignon et dansait devant ses yeux.

Leur baiser avait été super, se disait-il, mais l'éclaircie, le sentiment d'échapper au vide sidéral qui l'habitait s'étaient dissipés tellement vite. Et tout à coup, il aurait donné n'importe quoi pour retrouver cette légèreté.

Alors, sans réfléchir davantage, il a tendu la main et coincé la mèche récalcitrante derrière l'oreille de Cara, puis il a laissé traîner son pouce sur sa joue et s'est penché vers elle, les yeux fermés...

— Attends !

Il a ouvert les yeux.

Cara secouait vigoureusement la tête. Elle avait l'air paniquée, presque terrorisée. Mais ça n'a pas duré.

— Gael, a-t-elle commencé d'une voix douce.

Et voilà, ça recommence, s'est-il dit sombrement.

— Ce n'est pas toi, a repris Cara précipitamment. Tu es super, vraiment. Je sais, c'est toujours ce qu'on dit, mais c'est *vrai*.

Elle avait parlé à toute allure, comme les jeunes reporters pleins d'avenir qu'on voit dans les vieux films en noir et blanc.

— Je n'essayais pas de...

Il s'est interrompu pour chercher la bonne formulation.

— Je voulais vraiment t'embrasser, a-t-il dit finalement.

Elle a rougi, et il aurait juré avoir vu une minuscule étincelle briller dans ses yeux.

— Je sais. Moi aussi. Seulement...

— Seulement quoi ?

Elle a soupiré en triturant l'ourlet de son short.

— Je viens juste de rompre. Enfin, il y a quelques semaines.

— Moi aussi, a répondu Gael.

Elle a de nouveau soupiré.

— D'accord, mais moi, je me suis promis de passer tout le mois d'octobre sans sortir avec personne. Quand on s'est rencontrés et que tu m'as embrassée, je me suis dit que ce n'était pas si grave de sortir avec toi, mais d'après mes copines, il est très important que je tienne ma promesse jusqu'au bout, pour me prouver que je suis capable de rester seule.

(Cara était une Monogame en série[1]. Vous en avez peut-être entendu parler ? Sinon, voir la note en bas de page.)

---

1. Monogame en série : celui ou celle qui ne conçoit pas de rester seul(e). Moins sentimentaux que les Romantiques, les Monogames en série éprouvent toutefois le besoin pressant d'avoir un compagnon à chaque étape de leur existence. Peut entraîner : l'enchaînement ininterrompu d'histoires sans lendemain, l'élection du prochain partenaire avant d'avoir quitté l'ancien, et une méconnaissance d'eux-mêmes puisqu'ils ne prennent jamais le temps d'être seuls. Peut également engendrer une surprenante aptitude à la vie de couple, susceptible d'aider les plus phobiques à tenter l'aventure.

Gael a opiné tout en réfléchissant. Apparemment, elle l'appréciait suffisamment pour avoir déjà parlé de lui à ses copines, suffisamment aussi pour envisager de rompre la promesse qu'elle s'était faite.

Cara n'a pas attendu qu'il réponde.

— Ça te va si on reste amis jusqu'à la fin du mois ?

— Bien sûr, a-t-il répondu.

Et il était sincère.

Parce qu'il ne restait que deux semaines jusqu'à la fin octobre. Il pouvait certainement tenir jusque-là.

18.

Comment étouffer un béguin dans l'œuf (deuxième phase, expliquée)

Bon, d'accord, Gael n'était pas exactement découragé par le comportement de Cara (faites confiance au cliché de la fille pétillante, insouciante et légèrement délurée pour tirer n'importe quel type un peu déprimé de sa léthargie et le convaincre qu'il a en face de lui *la* fille qui va le sauver). *Très bien.*

Je n'étais pas inquiet. Comme vous allez le comprendre, j'étais déjà bien engagé dans la Phase deux.

Résumons : Cara avait fait vœu de rester seule tout le mois d'octobre. Un vœu qu'elle formulait de façon récurrente et qu'elle s'empressait de rompre, dès qu'elle en avait l'occasion. Et ses amies ne faisaient jamais aucun commentaire.

Mais cette fois, grâce à quelques interventions appropriées de ma part (un article intitulé « L'amitié, c'est aussi dire ce qu'on pense » et un cours de psychologie programmé à point nommé portant sur le mensonge, notamment envers ceux qu'on aime le plus), j'avais convaincu lesdites amies de revoir leur position et de s'exprimer.

Ensuite, quand le livre *Choosing Me Before We* est tombé du rayon de la librairie en plein sur les pieds de Cara, elle l'a pris (à juste titre) comme un signe. Elle a écouté et décidé, pour une fois, de tenir son engagement.

Je m'accordais un peu de répit – deux courtes semaines. Mais j'avais affaire à un Romantique hors pair et à une Monogame en série invétérée.

C'était loin d'être gagné.

19.

Mano a Mason

— Allez ! a crié Mason depuis sa voiture. Laisse-moi te raccompagner !

On était jeudi et, comme chaque jeudi, Gael rentrait chez lui à pied. Les « jeudi sans voiture » – louable effort institué par son père pour limiter leur empreinte carbone – étaient une tradition dans la famille Brennan.

Avant l'Ultime Trahison, Gael s'autorisait parfois des entorses et se faisait raccompagner par Anika ou par Mason, surtout s'il avait son saxophone. Désormais, il ne prenait plus son saxophone et Mason était bien la dernière personne avec laquelle il voulait voyager. Sa balade avec Cara remontait à l'avant-veille. Il hésitait entre compter les jours qui le séparaient du 1er novembre et se demander si l'histoire qu'elle lui avait racontée n'était pas un prétexte bidon pour se débarrasser de lui.

D'un autre côté, ils avaient prévu d'aller ensemble au match de l'équipe de basket de l'université (c'est elle qui avait dégoté les billets), mais il ne se déroulait que vendredi. Il était donc contraint, en attendant, de supporter ses cours, les discussions ineptes de Danny et Jenna à la cantine et les commentaires de sa mère sur les joies du célibat auxquels il avait du mal à croire étant donné l'état des yeux de cette dernière depuis quelques mois. Honnêtement, Gael était épuisé.

Mentalement *et* physiquement. Parce qu'il avait décidé, le matin même, d'aller courir avec son père.

Il se demandait encore quelle mouche l'avait piqué. Au bout de cinq minutes, il n'arrivait plus à respirer, et il avait fallu dix bonnes minutes de plus à son père pour qu'il comprenne que répéter « Tu peux y arriver ! » à tout bout de champ était aussi encourageant qu'exhorter une limace à se dépêcher. Gael avait fini par s'arrêter en hurlant qu'on ne l'y reprendrait plus, et il avait fait demi-tour avant de surprendre l'inévitable déception sur le visage de son père.

Mason, ex-meilleur ami et roi de la trahison, appuyait maintenant sur son Klaxon.

— Fiche-moi la paix, d'accord ? lui a crié Gael avec un geste explicite.

Mason a continué de rouler à une allure d'escargot.

— T'es sérieux ? s'est exclamé Gael en le regardant.

— On doit parler, a dit Mason. *Manne a manne.*

Derrière lui, la file de voitures commençait à s'allonger et leurs conducteurs à s'impatienter. Gael, à bout de résistance, a fini par craquer.

— C'est bon, a-t-il lâché en ouvrant brutalement la portière. Et l'expression, c'est *mano a mano*, a-t-il ajouté en s'asseyant. Manna, c'est un genre de pain antique.

Mason a haussé les épaules, appuyé sur l'accélérateur et, en dépit de sa volonté de parler, n'a pas ouvert la bouche jusqu'à la maison de Gael.

Dès qu'il s'est arrêté, Gael a sauté hors de la voiture et claqué la portière, sans un seul mot de remerciement. Mason, fidèle à lui-même, n'a pas saisi le message. Il a coupé le contact et suivi Gael chez lui.

Sammy était à son poste habituel, dans la salle à manger, avec Piper. En voyant arriver Mason, elle a rajusté ses lunettes, curieuse de voir la suite du drame Gael-Mason auquel elle avait assisté au restaurant. Gael est passé devant elle sans même lui dire bonjour. Mason lui a emboîté le pas.

Arrivé dans la chambre, tandis que Gael jetait son sac à dos sur son lit, Mason a branché la Xbox et chargé sa sauvegarde de Skyrim, comme si c'était normal. Quand un paysage sauvage et rocailleux s'est affiché sur l'écran, il s'est tourné vers Gael, un sourire radieux et complètement déplacé aux lèvres. C'était leur truc, avant. Skyrim était le jeu vidéo préféré de Gael (il lui rappelait *Le Seigneur des anneaux)*, et ils avaient passé des heures à améliorer leur armure, tuer des dragons, et se défendre contre les bandits.

Gael a ressenti un bref, mais violent, pincement au cœur. Mason lui manquait. Après tout, s'est-il dit, il avait aussi rompu avec lui. Mais à peine formulée, il a repoussé cette réflexion aux oubliettes. Mason pouvait se donner un mal de chien pour recoller les morceaux, ça ne changeait rien. Ce qu'il avait fait était impardonnable. Il ne l'avait pas seulement trahi, il avait brisé toutes les règles de l'amitié.

Il suffisait de voir de quelle façon il s'imposait chez lui pour jouer à la Xbox sans être invité.

Sur l'écran, son personnage courait dans les bois, sa séduisante acolyte derrière lui. Il a sorti une flèche de son carcan et visé un vagabond, qu'il a tué sur le coup.

— Tu sais que ça ne se fait pas, a dit Gael.

Mason a haussé les épaules.

— J'ai besoin de perfectionner mon tir à l'arc. Et puis certains doivent bien mourir dans la conquête de la gloire.

Gael s'est assis sur son lit.

— Tu ne peux pas dégommer quelqu'un qui ne t'a rien fait.

Mason lui a jeté un regard en biais.

— Ça ne t'a jamais dérangé, avant.

— Eh bien, ça me dérange, maintenant.

Il parlait d'une voix forte, agitée.

— Ce type t'aurait peut-être aidé. Et toi, tu lui tires dans le dos.

Mason s'est tourné complètement, et Gael a cru, un court instant, qu'il allait dire quelque chose de plus profond que son habituel « désolé, vieux ». Mais il ne l'a pas fait.

Il est revenu à son jeu pour tuer deux loups et un brigand, puis il a lâché :

— Le fait est que j'ai besoin de ton aide.

Gael s'est presque étranglé.

— Je suis pas d'humeur à t'aider.

— Attends, écoute d'abord.

Son personnage entrait dans une grotte, utilisant un sort pour s'éclairer.

— En fait… Anika est un peu bizarre, en ce moment.

Pour le coup, Gael s'est vraiment étranglé.

— Tu te fiches de moi ? a-t-il hurlé. Tu me poursuis depuis la sortie du lycée et jusqu'ici pour me demander conseil sur la fille que *tu m'as volée* ?

(Le comportement de Mason était en effet aberrant, mais ce que Gael n'arrivait toujours pas à comprendre, c'est qu'il n'avait rien de surprenant. *Tout le monde* fait des choses absurdes quand il est question de moi. Gael n'était pas spécialement visé. Il n'était pas non plus le seul à avoir été amoureux.)

Mason a mis le jeu en pause.

— Anika n'est pas un objet, vieux, a-t-il observé avec une profondeur inhabituelle de sa part (Gael s'est presque senti stupide). C'est une personne.

— Et alors ? a dit Gael. Ce que tu as fait reste dégueulasse.

— Je sais, a répondu Mason en baissant les yeux pour gratter un autocollant sur le dossier de son fauteuil. Et peut-être que plus longtemps tu me feras la gueule, mieux je comprendrai à quel point c'est dégueulasse. N'empêche, il n'y a qu'avec toi que je peux parler de ce genre de trucs...

Gael a croisé les bras sans décrocher un mot.

Mason a pris une bonne inspiration et a lâché :

— Juste pour que tu le saches, c'est *elle* qui m'a embrassé, d'accord ?

Gael a levé les bras au ciel.

— Je ne veux pas savoir comment ça s'est passé, je te l'ai déjà dit !

Mason a regardé ses pieds, puis il a relevé les yeux sur Gael.

— Écoute, j'aurais dû lui dire de rompre avec toi avant d'envisager quoi que ce soit, mais je ne l'ai pas fait, d'accord ? C'est comme ça, et on ne peut pas revenir en arrière. Sauf que maintenant... Je ne sais pas... Je commence à me dire qu'elle s'est peut-être fichue de nous deux. Qu'elle s'est servie de moi uniquement pour rompre avec toi.

Gael a levé les yeux au ciel.

— Et alors, depuis quand ça te préoccupe, les sentiments ? Je croyais que ça te faisait fuir, les filles qui s'attachent.

Mason a croisé les bras et s'est enfoncé un peu plus dans le fauteuil.

— Justement, elle ne s'attache pas toujours quand elle monte dans ma voiture, c'est moi qui dois lui dire de mettre sa ceinture, et je pense à toutes les fois où elle ne s'attache peut-être pas. Si elle avait un accident, qu'il lui arrive quelque chose et que... enfin, tu vois.

— Non, je ne vois pas. Quel rapport avec les ceintures de sécurité ?

Mason a haussé les épaules en marmonnant.

— Je me fichais complètement de ce genre de détails, avant. La moitié du temps, je ne m'attache pas moi-même !

— Parce que tu es un abruti, a rétorqué Gael.

Mais sa rebuffade cachait la plus étrange des réactions : il était heureux pour son ami. Heureux parce que Mason se préoccupait vraiment, officiellement, d'une fille. Et pas parce qu'elle était canon, ou qu'il voulait coucher avec elle, mais parce que c'était elle. Mason, l'éternel dragueur collectionnant les trophées, était en train, subitement, d'ouvrir les yeux.

Et, durant une fraction de seconde, Gael a été fier de lui.

(Moi aussi, parce que Mason était un Vagabond[1], mais pour une fois, il n'avait aucune envie de mettre les voiles.)

---

1. Vagabond(e) : celui ou celle qui préfère la liberté et la solitude au risque de se retrouver sentimentalement « piégé(e) ». Peut entraîner : des occasions manquées, le recours à des techniques de rupture aussi glorieuses que le « ghosting », un comportement général de crétin(e) achevé(e), et une vie d'éternel(le) patachon(ne). Peut également engendrer une grande connaissance de soi et beaucoup d'assurance dans les relations qu'ils ne fuient pas immédiatement.

Gael a repoussé son élan de sympathie. Les circonstances qui avaient permis à Mason d'en arriver là restaient hautement impardonnables.

— Qu'est-ce que tu attends de moi, exactement ? a-t-il demandé.

— Est-ce que c'est normal ? a demandé Mason. De s'inquiéter comme ça ?

(Bien sûr que c'est normal ! Qu'est-ce que vous croyez, les gars ? Que votre mère vous raconte des mensonges quand elle répète qu'elle s'inquiète pour vous parce qu'elle vous *aime* ?)

Mais la patience de Gael était épuisée.

— Je n'ai aucune idée de ce qui est normal pour toi, a-t-il répliqué avec dédain. Tu peux débarrasser le plancher, maintenant ?

Voyant que Gael resterait intraitable, Mason a ramassé son sac et il s'est levé à contrecœur. Gael a attendu que la porte soit bien fermée pour relancer Skyrim, s'enfoncer dans les bois avec son personnage et tirer dans le dos du premier étranger sur sa route.

Il n'a pas ressenti la satisfaction qu'il espérait.

20.

Retour au premier
« Je t'aime » (version Mason)

Je vous accorde le fait que Gael et Mason ne s'étaient jamais vraiment dit « je t'aime » (à moins de compter la fois où Mason avait bu beaucoup trop de bière et où Gael lui avait obligeamment tenu les cheveux pendant qu'il vomissait). Mais leur amour n'avait pas eu besoin de déclaration officielle pour exister. Il avait été scellé l'année de leurs onze ans.

L'année où Gael avait vécu sa première éruption cutanée. Et je ne parle pas d'un ou deux pores bouchés comme on voit dans les pubs pour lotions nettoyantes à la télé, mais de gigantesques chtars. Si gros qu'on ne peut même plus parler de boutons.

Les petits malins de sa classe n'ont pas perdu de temps pour trouver quelques sobriquets à Gael, du style « face de pizza » ou « sapin de Noël ». Le point de rupture a été atteint le jour où Brad Litcherson s'est tourné vers Gael, en cours de dessin, pour s'exclamer :

— Tu t'es maquillé ?

Le visage de Gael a viré au cramoisi (en tout cas les parties qui n'étaient pas couvertes par le fond de teint qu'il avait piqué à sa mère), et il s'est enfui de la classe, sans avoir l'occasion d'entendre Mason s'en prendre à Brad, puis leur institutrice, Mrs Jackson, essayer de calmer le raffut qui s'en est suivi.

Le lendemain matin, Gael est revenu à l'école, ses boutons à l'air libre et lui-même particulièrement vulnérable. Quand il est entré dans la classe, tout le monde était agglutiné autour du pupitre de Mason, à côté de qui il s'asseyait toujours.

Il s'est frayé un chemin jusqu'à sa place.

Mason, installé sur sa chaise comme si de rien n'était, était… *entièrement maquillé.* Fond de teint, poudre, blush, eye-liner, ombre à paupières bleu vif à paillettes, mascara, la totale. (Sa grande sœur l'avait aidé.)

Tous les élèves riaient et se bousculaient pour le prendre en photo sur leurs téléphones. Ils avaient même oublié que Gael s'était fait charrier la veille par Brad Litcherson. Lequel était à sa place, abandonné, déconfit et vaincu.

— T'es complètement taré, a soufflé Gael à Mason quand tout le monde a eu rejoint sa place.

— Et toi, tu es le meilleur ami d'un taré.

— Merci.

— Pas de quoi, a répondu Mason dans un battement de cils plein de coquetterie.

Après cet épisode, Mason a été surnommé « Cover-Girl » jusqu'à la fin de l'année.

Et plus personne n'a jamais fait la moindre allusion à l'acné de Gael.

21.

De toutes les chambres de l'univers, il a fallu qu'elle choisisse la mienne

À peine Mason disparu, Gael recevait un texto de sa part.

Dis donc, Sammy est devenue super canon depuis la dernière fois que je l'ai vue, tu devrais sortir avec elle.

Et à peine Gael avait-il lu ce texto que Sammy entrait dans sa chambre.

Il a fourré son téléphone dans sa poche et s'est concentré sur son jeu. Son personnage était planté devant le type qu'il venait de tuer.

Sammy s'est avancée, sans lui demander si elle le dérangeait.

— Qu'est-ce que c'est, cette histoire ?

Elle le regardait, une main posée sur la hanche et, durant une seconde, Gael a cru qu'elle faisait allusion au texto. C'était du Mason tout craché de débarquer chez lui, de lui avouer quasiment son amour pour Anika et de baver sur une autre fille en partant.

— Vous vous êtes réconciliés, Mason et toi ? a continué Sammy.

— Non, a bougonné Gael. Il s'est invité.

Elle a penché la tête sur le côté. Ses cheveux courts encadraient parfaitement son visage et lui donnaient des allures d'Uma Thurman dans *Pulp Fiction*, avec la frange et tout. Elle portait un T-shirt moulant *Casablanca* – que Gael ne pouvait qu'apprécier –, un jean skinny, et un long collier dont le pendentif géométrique attirait le regard exactement où il fallait. Gael a détourné les yeux.

D'accord, elle n'était pas mal, a-t-il reconnu. Mason avait raison. Mais elle s'efforçait *tellement* d'avoir l'air cool que c'était limite pathétique. De toute façon, n'importe qui aurait eu l'air branché dans un T-shirt *Casablanca*.

— C'est lui qui t'a piqué ta copine, non ?

Comme il ne répondait pas, elle s'est penchée sur son écran.

— Tu te défoules sur les jeux vidéo, maintenant ?

Il a lâché sa manette.

— Attends, laisse-moi deviner. Tu es contre les jeux vidéo ? Quelle originalité !

— Parce que c'est débile de critiquer les trucs violents et machistes ? a-t-elle rétorqué en croisant les bras.

Gael n'avait pas besoin d'un sermon de plus contre les jeux vidéo. Sa mère s'était assez souvent chargée de lui faire la leçon.

— Je sais, a-t-il dit. Mais celui-là est moral. J'ai tué ce type, mais je vais le payer.

Elle l'a regardé, intriguée.

— Ah bon ?

— Oui.

— Comment ? Tu vas aller en prison ?

— Pas forcément, mais je vais payer, rassure-toi.

Elle a décroisé les bras et l'a regardé avec un petit sourire.

— Bon, tu vas me raconter pourquoi Mason a débarqué chez toi, ou tu préfères parler de la violence dans les jeux vidéo ? Si tu choisis le débat, autant te prévenir, je serai sans pitié.

Gael a hésité. Il n'avait jamais vraiment discuté avec Sammy. En plus, elle ne connaissait strictement rien aux ruptures : elle était en couple depuis des siècles. Elle ne s'était jamais fait larguer *et* humilier en public. Elle ne s'était pas non plus lancée dans une pseudo-histoire avec une fille qui avait tellement de mal à rester seule qu'elle s'imposait *des règles* de célibat pendant un mois. La perspective d'étaler ses déboires sentimentaux devant elle lui semblait donc un peu pathétique.

D'un autre côté, il sentait bien qu'il avait besoin de parler à quelqu'un. Surtout quelqu'un qui n'avait rien à voir avec tout ça.

Il a éteint son ordinateur.

— Je suis un peu dépassé, cette semaine.

— Ça t'étonne ? a-t-elle répondu en se tournant vers lui d'une façon qui, bizarrement, lui a donné l'impression qu'il pouvait tout lui raconter. Voir mon ex débarquer à mon dîner d'anniversaire m'aurait aussi rendue folle.

Il a ri.

— Le meilleur, c'est que Mason m'a suivi jusqu'ici pour m'annoncer qu'il est amoureux d'Anika et me demander conseil.

Elle a sursauté.

— Il t'a dit qu'il est *amoureux* d'elle ?

— C'est tout comme. Il tient à elle, c'est évident.

— Et toi, a demandé Sammy en s'asseyant par terre pour s'adosser au mur, tu l'aimes toujours ?

(J'avais parfaitement conscience de ce que Gael ne pouvait pas deviner : elle espérait qu'il allait lui dire « non ». Parce qu'elle trouvait Anika égoïste, et que Gael méritait mieux. Mais je sentais que ce n'étaient pas ses seuls motifs. Et j'ai toujours d'excellentes intuitions.)

— En fait, plus j'y pense, moins je le crois, a répondu Gael avant de soupirer. J'imagine que c'était plus facile de leur donner le mauvais rôle, mais s'ils tiennent vraiment l'un à l'autre, j'ai moins de raisons de leur en vouloir, non ?

Elle l'a regardé d'un air dubitatif.

— Attends, tu veux me faire croire que tu passes l'éponge ? Comme ça ? Et si tu me disais le reste, au lieu de me raconter n'importe quoi ?

Il a rougi.

— J'ai peut-être trouvé quelqu'un d'autre.

— Ah bon ? a-t-elle dit prudemment. Si vite ?

Il a regardé ses mains. Il savait bien de quoi il avait l'air – d'un imbécile –, mais au point où il en était, il pouvait bien lui raconter la suite.

— J'ai rencontré une fille, en sortant du restaurant, le soir de mon anniversaire. Et, heu, je ne sais pas ce qui m'a pris, mais je l'ai… embrassée. On s'est revus une ou deux fois. Mais mardi, elle m'a dit qu'elle sortait juste d'une histoire et, pour faire court, qu'elle voulait rester seule pendant un mois.

Sammy a éclaté de rire (il s'est demandé si elle se moquait de lui).

— Waouh, *un mois entier* ? Quel sacrifice !

— C'est facile de juger, surtout quand on n'a jamais été célibataire, a-t-il rétorqué en croisant les bras.

Sammy s'est raidie, puis elle s'est levée.

— Ce que je veux dire, c'est que deux personnes qui sont visiblement toujours attachées à leur ex ne se lancent pas dans une histoire parce qu'elles se sont croisées par hasard dans la rue, c'est tout.

Des paroles fortes et sensées qui n'étaient pas exactement du goût de Gael.

— Et si on ne s'était pas rencontrés par hasard, hein ? S'il y avait une raison ? a-t-il demandé avec véhémence.

Tandis qu'il se creusait la cervelle, à la recherche d'un argument pour soutenir sa cause, ses yeux sont tombés sur le T-shirt de Sammy. Bingo.

— Tiens, a-t-il dit en tendant le doigt vers elle, comme dans *Casablanca* ! Ilsa et Rick qui se retrouvent.

Elle a ri et secoué la tête.

— Sauf que, si tu te rappelles la fin, ça n'a pas marché.

— Seulement parce que c'était la guerre, a-t-il répliqué en retrouvant son assurance.

Il se faisait peut-être des illusions à propos de Cara, mais côté cinéma, il en connaissait un rayon.

Sammy a levé les yeux au ciel.

— On n'est pas dans un film, Gael. Et j'ai beau adorer les histoires d'amour au cinéma, surtout les comédies romantiques, je n'oublie jamais que c'est de la fiction.

Il en a oublié ce qu'il voulait dire.

— Tu aimes les comédies romantiques ?

— Oui, a-t-elle dit en se détendant légèrement. Ça te pose un problème ?

Il a éclaté de rire.

— Aucun ! Seulement, de la part d'une dingue de littérature française, je m'attendais à des goûts cinématographiques un peu plus pointus.

— Je te remercie, a répliqué Sammy. Je ne suis pas snob *à ce point-là.*

Il en doutait, mais il n'a pas insisté.

— Le fait est, a repris Sammy, que le timing est important. Et que l'idéal, quand on vient de quitter quelqu'un, n'est peut-être pas de se précipiter dans les bras de quelqu'un d'autre.

(Elle avait naturellement raison, d'où la nécessité de mon travail.)

— Parce que tu ne t'es pas *précipitée* quand tu as rencontré John ? s'est récrié Gael, indigné.

— De quoi vous parlez ?

Gael et Sammy ont sursauté.

Piper, sur le seuil, les regardait.

— De *Casablanca,* a répondu Sammy en s'essuyant discrètement les yeux. Et de la fille que vient de rencontrer ton frère.

— Tu as une nouvelle copine ! s'est exclamée Piper d'une voix aiguë.

— Ce ne sont pas tes oignons, a répliqué Gael, rougissant de nouveau et se sentant dépassé par le nombre. Et même si c'était le cas, Sammy ne trouve pas que ce soit une bonne idée.

Piper les a regardés tour à tour, puis un immense sourire a éclairé son visage – comme lorsqu'on découvre quelque chose de très intéressant.

— À mon avis, si Sammy n'est pas d'accord, c'est qu'elle a une bonne raison, a-t-elle déclaré. Allez, viens, Sammy. On a encore quatre passages à traduire !

Elle a pris Sammy par la main et l'a entraînée avec elle, laissant Gael seul avec ses pensées.

22.

Recherches vespérales de Gael, par ordre chronologique

17 h 03 : qu'est-ce qu'une relation mouchoir ?

17 h 06 : suis-je un rebond ? – quiz

17 h 15 : monogame en série – définition

17 h 23 : faire une nouvelle rencontre après une trahison

17 h 28 : qu'entend une fille par « je préfère qu'on reste amis pour l'instant » ?

17 h 40 : *Casablanca* répliques célèbres sur l'amour

18 h 05 : sortir avec une étudiante quand on est au lycée

18 h 12 : j'aime le cinéma, pas elle

18 h 29 : elle dit qu'elle m'apprécie, mais ne veut pas sortir avec moi avant deux semaines, est-ce qu'elle me jette ?

18 h 40 : est-ce qu'une invitation à un match de basket est un rendez-vous amoureux ?

18 h 43 : et si je reste seul jusqu'à la fin de mes jours ?

23.

Une maison divisée

L e lendemain, Gael allait partir pour son rendez-vous de vendredi soir avec Cara (il ne savait toujours pas comment le considérer), lorsque sa mère l'a arrêté devant la porte.

— Où vas-tu ? lui a-t-elle demandé.

Une main sur la poignée, l'autre triturant le logo de son sweat-shirt, il a répondu :

— Il y a un match de basket, ce soir, j'ai des places.

Sa mère a poussé un soupir, croisé les bras, puis elle a pris un bibelot sur la table de l'entrée, l'a essuyé avec l'ourlet de sa chemise et l'a reposé.

— Tu aurais pu me prévenir, non ? Tu es censé dîner avec ton père, ce soir.

Gael a haussé les épaules.

— Il est au courant. De toute façon, il fait des heures sup à la fac, aujourd'hui. Il viendra chercher Piper quand il aura fini.

— Tu aurais quand même pu me le dire.

Il a lâché la poignée et s'est tourné vers elle.

— Je te le dis maintenant. Et que toi et papa ne soyez pas fichus de communiquer, franchement, ce n'est pas *mon* problème.

Sa mère est restée interdite un instant, puis elle a secoué la tête.

— Tu es censé passer tes vendredis soir avec ton père, Gael. Tu lui dois ça.

Il a soupiré.

— Je n'ai plus le droit de rien faire de mes vendredis parce que *vous* vous séparez ? C'est la meilleure, ça !

Piper a surgi à ce moment-là, un genre de tutu vert pétard autour de la taille et un sabre laser à la main.

— On ne se disputait jamais quand on regardait des films tous ensemble, a-t-elle dit, boudeuse.

Elle avait raison. Les soirées cinéma étaient un rite presque sacré dans la famille Brennan. Chaque vendredi, ils commandaient des pizzas et choisissaient à tour de rôle le film qu'ils allaient voir ensemble. Piper avait une prédilection pour les documentaires sur la nature ou les histoires d'aventure et d'amitié ; son père naviguait entre les drames psychologiques et les comédies à caractère social ; sa mère choisissait presque exclusivement des films en noir et blanc *et* outrageusement optimistes ; et lui, il estimait de son devoir, en tant qu'amateur éclairé, de puiser dans tous les genres. Dans la limite de ce que Piper pouvait regarder.

Il a pouffé.

— Ce n'est pas *ma* faute, si on ne fait plus de soirées ciné. Ce n'est pas *moi* qui ai décidé de divorcer.

La mâchoire de sa mère s'est décrochée tandis que le menton de Piper se mettait à trembler.

— Ils ne sont pas divorcés, a dit sa petite sœur. Ils vivent seulement séparément.

Elle était au bord des larmes, et Gael, tout à coup, n'en menait pas large.

— Pardon, a-t-il dit, je suis désolé.

Il ne voyait pas ce qu'il aurait pu ajouter.

Sa mère s'est agenouillée pour prendre Piper dans ses bras.

— Va-t'en, a-t-elle dit à Gael. Je m'occupe d'amener ta sœur chez ton père.

Il s'est tourné vers la porte, mais la perspective de revoir Cara ne lui semblait plus du tout réconfortante.

Sa famille volait en éclats. C'était la simple vérité. Et aucune fille n'y changerait rien.

24.

Heures sup

Comme Gael s'y attendait, Cara n'était pas devant sa résidence à l'heure de leur rendez-vous. Alors il a coupé le moteur et attendu devant le bâtiment. Ses yeux erraient sur le campus.

Sur le couple qui avançait, main dans la main, vers une autre résidence.

Sur le jeune emo tendance gothique en train de taper une cigarette à un autre étudiant très chic dans son polo et ses petits mocassins preppy.

Sur la joggeuse en pantalon orange fluo qui courait à une vitesse qu'il n'atteindrait jamais.

Sur son père qui suivait une jolie fille vers Carmichael Hall...

Son père ?!

Il a plissé les yeux. C'était bien lui. Il reconnaissait le ridicule bonnet de laine qu'il sortait chaque automne et sa vieille veste de prof en velours côtelé. Il souriait bêtement. Et la fille qu'il accompagnait n'avait pas l'air d'avoir plus de vingt-trois ans. Une doctorante, peut-être, et encore.

Il a senti son cœur s'emballer. Quand les coups de téléphone mystérieux avaient commencé, Gael s'était vaguement demandé si son père avait une maîtresse, sans vraiment y croire.

Jusqu'à maintenant.

Pourquoi lui aurait-il raconté cette histoire d'heures supplémentaires, sinon ? Et pourquoi irait-il *vers un dortoir* ? Les bâtiments des étudiants étaient à dix bonnes minutes à pied de celui où se trouvait le bureau de son père. Il n'avait aucune raison d'être là.

À moins que...

Un coup à la fenêtre de la portière l'a fait bondir.

Cara, de l'autre côté, le dévisageait.

Il a ouvert la porte avec une raideur mécanique.

— Ça va ? lui a-t-elle demandé en s'installant. Je ne voulais pas te faire peur.

Il a opiné rapidement avant de revenir sur Carmichael. Il redoutait autant d'en découvrir davantage que de ne pas en apprendre plus.

Mais son père et la fille avaient disparu.

— Tu es sûr ? a insisté Cara.

Son visage le brûlait mais il s'est obligé à sourire. À oublier ce qu'il venait de voir. Il ne pouvait pas craquer. Pas devant la fille qui l'avait déjà vu dans un état pitoyable.

— Un coup de fatigue, a-t-il marmonné. Ce n'est rien.

Il a mis le contact et démarré avant qu'elle ne l'interroge davantage.

25.

Friend zone protégée

Le temps qu'ils arrivent au Dean Dome et prennent place dans les gradins étroits, le principal souci de Gael était de dissimuler ses yeux encore humides à Cara – il était toujours au bord des larmes.

Un peu plus tard, et quels que soient ses efforts pour se concentrer sur le match pourtant serré qui se déroulait devant eux, il continuait de ne voir qu'une seule image : son père marchant résolument vers un dortoir en compagnie d'une étudiante.

Le plus grand joueur de leur équipe a marqué le premier panier à trois points. Au bord du terrain, comme si elle était soulevée par les rugissements du public, la mascotte de l'UNC, un bélier surnommé Ramses, s'est lancée dans une série de roulades tandis qu'une pom-pom girl exécutait un salto arrière. Le cri de ralliement de Cara était puissant, suraigu et interminable. Son enthousiasme aurait dû être contagieux, mais Gael le trouvait seulement braillard. Elle avait aussi bondi sur ses pieds, mais il n'avait pas le cœur de l'imiter.

Le ballon est passé aux mains de l'équipe adverse pour arriver, en quelques secondes, de l'autre côté du terrain.

Cara avait retrouvé son siège.

— Ça va ? lui a-t-elle à nouveau demandé.

— Oui, a menti Gael en détournant la tête pour s'essuyer discrètement les yeux.

Qu'elle n'ait pas vu son geste, ou qu'elle ait seulement voulu le laisser tranquille, elle est revenue à la partie. Il lui en a été reconnaissant.

Le parquet crissait sous les pas des joueurs qui tentaient de reprendre la balle à l'adversaire, puis l'équipe de Caroline de Nord, après une feinte savante, a marqué un nouveau panier.

Gael regardait le drapeau du championnat national de 2009 suspendu aux poutres du Dean Dome. Ses parents avaient eu des places pour la saison, cette année-là. Piper venait de naître, mais ils s'étaient débrouillés pour assister à presque tous les matches. Ils avaient, bien sûr, emmené Gael avec eux. Il se souvenait de son mini-maillot, de l'application avec laquelle il faisait tourner sa crécelle. Ils étaient même revenus assister à la finale du championnat sur écran géant, parce que le match entre la Caroline du Nord et le Michigan se déroulait à Detroit. La Caroline du Nord avait gagné, et ils avaient défilé sur Franklin Street avec la foule des supporters. Il se souvenait des cris de joie et des feux que certains avaient allumés. Le lendemain matin, son père avait juré que le président des États-Unis lui-même était fan de l'équipe de Caroline du Nord. Ils avaient acheté cinq exemplaires du *Daily Tar Heel* et encadré la une de l'un d'entre eux, qui était toujours accrochée au sous-sol.

Il a senti sa gorge se nouer.

Piper n'aurait jamais ce genre de souvenirs, se disait-il, parce que sa famille n'existait plus.

À cause de son père, qui l'avait détruite.

Tout à coup, ce n'étaient plus les larmes qui l'étouffaient, mais la colère.

— Tu ne trouves pas qu'ils ont l'air complètement ridicules avec « Carolina » écrit sur les fesses ? lui a demandé Cara en rompant le fil de ses pensées.

Il s'est forcé à revenir au présent, et il a même réussi à sourire.

— Je ne passe pas mon temps à mater le cul des garçons, tu sais.

Elle a éclaté de rire et s'est adossée à son siège pour planter les deux pieds sur le dossier devant elle.

— Tu sais qu'il ne suffit pas de mater pour être gay, n'est-ce pas ?

— C'est bon, a-t-il alors admis, j'ai vu, oui. Et oui, c'est un peu ridicule.

Elle a gloussé.

— Alors comme ça, tu regardes le cul des hommes, maintenant ?

Elle a encore éclaté de rire et cette fois, Gael l'a imitée.

(Pour être honnête, j'étais partagé. D'un côté, je voulais vraiment aider Gael à oublier ce qu'il avait vu. Mais de l'autre, je craignais vraiment que cette soirée ne le pousse un peu trop à l'oubli, et du même coup dans les bras de Cara. Elle n'était pas faite pour lui et, quels que soient les événements pénibles auxquels il était confronté, je devais l'aider à s'en rendre compte.)

— Merci, lui a dit Gael.

La mi-temps a sonné au même moment, au milieu des hurlements et des acclamations déchaînées du public.

L'équipe de l'Université de Caroline du Nord menait de vingt-deux points.

— Pourquoi ? lui a demandé Cara.

Il a haussé les épaules.

— Pour les billets. Pour m'être rentrée dedans quand j'avais besoin d'un ami.

Elle l'a regardé et son regard commençait à s'éterniser quand quelqu'un a toussoté. Ils ont levé les yeux. Un type attendait de pouvoir passer et Cara a obligeamment rangé ses pieds sous son siège.

(Ce n'était qu'une minuscule interruption, mais elle était nécessaire, croyez-moi.)

Au lieu de reposer les yeux sur Gael, Cara s'est tournée vers le terrain en tripotant sa queue-de-cheval.

— Si on allait s'acheter un truc à manger ? a-t-elle proposé.

Gael a opiné.

— Je peux y aller, si tu me gardes mes affaires.

Il n'était pas sûr de pouvoir avaler quoi que ce soit, mais il pouvait essayer.

— Je prends toujours des hot-dogs, ici. Tu en veux un ?

— Super, a-t-elle répondu. Tu es le meilleur.

Un compliment auquel il a répondu avec son premier vrai sourire de la soirée.

Et moi, c'est avec agacement que je l'ai regardé s'éloigner.

26.

Brève incursion
dans l'avenir de Gael

Vous me trouvez cruel, n'est-ce pas ? Si, si, ne niez pas, je le sais.

Vous estimez que la scène qu'avait surprise Gael sur le campus aurait démoli n'importe qui. Alors quelle importance, vous dites-vous, si la fille qui l'aide à surmonter cette épreuve n'est pas la bonne ?

Vous vous demandez si les ersatz, les relations mouchoirs ou quel que soit l'adjectif qu'on leur colle (pourquoi pas *thérapeutiques*, tant qu'on y est ?), sont vraiment si critiquables que ça, surtout quand elles surviennent à des moments d'aussi grande détresse. Gael est jeune, après tout. Quelle importance si Cara n'est pas *la* femme de sa vie ? Il aura beaucoup d'autres occasions après celle-ci.

Et vous avez raison... en partie, du moins. Beaucoup de gens s'entichent de la mauvaise personne. Et beaucoup, c'est vrai, ont une deuxième, une troisième, une quatrième, voire même une quinzième chance de rencontrer le véritable amour.

Mais pour Gael, ce n'était pas aussi simple. Il ne s'agissait pas seulement de passer à la personne ou à l'occasion suivante.

Vous vous souvenez des règles que j'ai énoncées au début ? Quand je disais que l'amour « vous rend meilleur, bien plus que vous ne l'auriez imaginé ». Je ne faisais pas que de la littérature. L'amour *est* un puissant facteur d'accomplissement et d'amélioration personnels. *Tout est là.* Et c'était particulièrement vrai pour Gael. Parce que l'avenir qui l'attendait, celui que j'entrevoyais, pour peu qu'il soit accompagné de la bonne personne, était celui-là :

Je voyais son amour du cinéma s'unir à la perfection avec son amour, disons, de *l'amour*.

Je le voyais, quelques années plus tard, s'inspirer de sa propre expérience d'un amour précoce et authentique pour réaliser un film sublime qui le propulserait au rang de jeune réalisateur très prometteur.

Je voyais celle qui, à son côté, l'encourageait à donner, toujours, le meilleur de lui-même, à poursuivre chacun de ses rêves. Une jeune fille dont le tempérament et la passion étaient pour lui une source d'inspiration perpétuelle.

Je voyais sa carrière s'épanouir au long de superbes films. Des films qui placent l'amour au cœur des autres valeurs et grâce auxquels les gens, partout dans le monde, reprennent confiance et espoir.

Certains pourront les qualifier de comédies romantiques, même si Gael se défendra toujours d'appartenir à cette catégorie qui n'aura jamais sa préférence.

Je voyais peut-être même une statuette briller pour lui quelque part.

Attention, je ne prétends pas que l'idylle que j'avais en réserve pour sa dix-huitième année durerait éternellement.

Je dis seulement que, quelle que soit sa durée, elle allait changer sa vie — et celle de beaucoup de monde.

Très bien, me direz-vous, mais si mes machinations échouaient ?

L'avenir de Gael prendrait, évidemment, une autre tournure.

Je voyais un nouveau chagrin d'amour, après que Cara se fut lassée de la nouveauté de celui-ci.

Je voyais un métier dans un bureau, peut-être la création d'un blog dédié au cinéma, quelques rencontres sympas par-ci, d'autres moins géniales par-là, peut-être un mariage, aux alentours de la trentaine, avec une jeune femme agréable.

Il ferait aussi bien que le voisin, laverait sa voiture le week-end en se disant qu'il irait plus souvent au cinéma, s'il avait le temps.

Ce n'était pas forcément une vie ratée.

Seulement, ce n'était pas celle qu'il était censé vivre.

Et j'étais le seul à pouvoir y remédier.

27.

Friend zone protégée – suite

L a seconde mi-temps a commencé et, devant son sandwich, Gael a retrouvé l'appétit. Ils ont mangé, pendant que leur équipe conservait son avance. Sa dernière bouchée avalée, Gael s'est léché les doigts – un geste qu'Anika détestait – et s'est joint à Cara pour siffler l'arbitre – autre comportement qu'Anika avait en horreur. Cinq minutes plus tôt, Gael aussi aurait fait la grimace, mais il avait changé. C'était le nouveau Gael. Le Gael désinhibé. Le Gael qui avait compris que personne ne respectait les règles, son père compris. Il ne voyait pas pourquoi il se serait retenu. Cara n'était peut-être pas parfaite, mais, au moins, elle était là.

(À ce stade, il était si bien parti qu'il ne percevait même pas la tristesse de ce raisonnement.)

Leur équipe enchaînait panier admirable sur panier admirable, et il ne pensait plus à son père ou à sa famille. Il se sentait bien. Il se sentait vivant. Il se disait que la terre continuait de tourner, même si ce n'était pas dans le sens qu'il avait prévu.

C'est à ce moment-là qu'il s'est tourné vers Cara et qu'il a vu qu'elle le regardait aussi. Elle avait les yeux brillants, le visage tout rouge d'avoir crié, et des mèches folles flottaient autour de son visage. Alors il s'est dit : « Au diable le mois de novembre. Qu'est-ce que ça peut bien faire qu'on soit encore en octobre ? »

Il a deviné qu'elle pensait la même chose.

L'arbitre a signalé un temps mort. (Et moi, je me suis dépêché de saisir l'occasion.)

Le coup de sifflet a tiré Cara et Gael de leur monde enchanté pile au moment où Branson, l'ex de Cara, montait dans les gradins pour aller s'acheter un hot-dog.

Leurs regards se sont croisés, et j'ai presque ressenti le pincement au cœur de Cara, la douleur de la blessure qui subitement s'ouvrait.

Je savais qu'il y avait plusieurs réactions possibles, comme toujours dans ce cas-là. On peut sourire, faire un signe de la main, amorcer une conversation et essayer de se comporter comme si de rien n'était, tout en ignorant la personne avec laquelle on est et minimiser ce qu'on partage avec elle.

On peut aussi regarder ses chaussures, attendre que l'ex s'éloigne, sentir son cœur se serrer en pensant à lui (ou à elle), comprendre à quel point il (ou elle) nous manque et se dire que l'autre (celui ou celle avec qui on est), en fait, ne compte pas du tout.

Ou l'on peut faire ce que Cara a fait. La seule et unique chose que je redoutais. La pire.

L'orchestre a entamé une interprétation de « Carolina in My Mind[1] » et elle a sauté sur ses pieds, entraînant Gael

---

1. « Carolina in My Mind » est une chanson de James Taylor, créée en 1968 et devenue hymne officieux de l'Université de Caroline du Nord. NdT.

avec elle avant de le prendre par le cou, juste à temps pour que Branson puisse voir son geste.

J'avais sous-estimé l'amertume de Cara, son désir de rendre Branson jaloux quel qu'en soit le prix pour Gael.

Cara n'était pas méchante – s'il vous plaît, ne la jugez pas –, les gens ont seulement tendance à faire n'importe quoi quand il est question de moi.

Gael, bien sûr, ne s'est rendu compte de rien. Pour lui, la fille qu'il appréciait l'avait pris par le cou et l'entraînait à se balancer de droite à gauche pendant que sa chanson préférée remplissait le stade.

Un endroit plein de souvenirs douloureux s'éclairait subitement d'un autre souvenir – un souvenir d'elle.

— C'est génial que tu aies pu avoir ces places, a-t-il dit. Tu es la meilleure !

Il le pensait.

De tout son cœur.

28.

Quand Cara rencontre Sammy

L e lendemain matin, j'ai abandonné ma surveillance de Gael et de ses émotions toujours vacillantes pour lancer une opération spéciale, baptisée « Reprise en main de la Vie Amoureuse de Gael ».

Juste après neuf heures, je me suis dirigé vers la cafète du campus, où je savais trouver Sammy Sutton.

Ce que beaucoup de gens ne savaient pas à propos de Sammy, c'est qu'elle raffolait du chocolat. Elle pouvait se moquer de Gael avec ses Snickers, c'était tout à fait le genre d'addictions auxquelles elle pouvait s'adonner. Erreur : *c'était* le genre d'addictions auxquelles elle s'adonnait. Son penchant pour les gaufres aux pépites de chocolat avait débuté le 4 septembre, le jour où John l'avait plaquée, au beau milieu de la deuxième semaine de la rentrée. (À savoir : partout dans le monde, les deux premières semaines de fac constituent une période particulièrement favorable aux ruptures.)

Quoi qu'il en soit, parce que sa mère lui avait répété que le chocolat faisait grossir, Sammy avait tristement associé sa passion à une pulsion honteuse et l'avait soigneusement

153

dissimulée. Mais les samedis matin, dès l'ouverture de la cafète, alors que ses camarades rêvaient encore au fond de leurs lits, elle se préparait religieusement une énorme gaufre couverte de pépites et savourait sans aucun témoin son plaisir coupable.

Cara aussi adorait les gaufres. Mais d'habitude, le samedi matin, elle n'allait que bien plus tard à la cafète, car son réveil ne se déclenchait pas mystérieusement à huit heures quarante-cinq. Ce samedi-là, pourtant, au lieu de dormir tranquillement, elle se maudissait d'avoir mal réglé son alarme.

À neuf heures quinze, renonçant à retrouver les bras de Morphée, elle a glissé les pieds dans ses Birkenstock et s'en est allée à la cafète dans l'espoir de mieux continuer sa journée.

Les deux jeunes filles sont arrivées devant les machines à gaufres *exactement* au même moment. (Parfois, j'ai la maîtrise d'un chef d'orchestre de renommée mondiale.)

Cara versait une louche pleine de pâte sur sa machine, tandis que Sammy, qui avait déjà rempli la sienne, attrapait le pot de pépites de chocolat pour en verser sur sa gaufre.

Attendez…

Attendez…

— Merde ! a-t-elle crié en voyant le pot se vider subitement, et entièrement, sous ses yeux.

Une montagne de pépites a couvert sa gaufre et le reste s'est éparpillé sur le sol autour d'elle.

Le couvercle qui s'était détaché a roulé jusqu'aux pieds de Cara.

— Oh, la vache ! s'est exclamée celle-ci. Attends, je vais t'aider.

Joignant, comme je m'y attendais, le geste à la parole, Cara a attrapé la pelle et le balai que j'avais placés là et s'est mise à rassembler les pépites éparpillées.

— Non, je vais le faire, a dit Sammy. Je ne sais pas ce qui s'est passé…

Cara a vidé sa pelle pleine de pépites dans la poubelle et a regardé la gaufre de Sammy à moitié cuite et maintenant surmontée d'une épaisse couche de chocolat.

— Dis donc ! Moi aussi, j'adore le chocolat, mais là…

Sammy a ri en secouant le pot de pépites vide.

— Je parie qu'un petit malin a cru intelligent de le dévisser pour faire une blague.

— Tu parles d'une plaisanterie, a renchéri Cara.

Elles ont jeté leurs gaufres ratées à la poubelle (celle de Cara avait eu le temps de brûler), puis Cara en a recommencé deux avant de couvrir celle de Sammy de la quantité de pépites appropriée (le second pot était correctement vissé).

— Au fait, je m'appelle Cara, a-t-elle dit.

— Moi, c'est Sammy. Merci du coup de main.

— Pas de quoi. Tu es toute seule ? Parce que, après ces moments de douloureuse débâcle, on peut manger ensemble, si tu veux. Je me suis réveillée super tôt, ce matin, et mes copines ne sont pas encore là.

— Ça marche ! a répondu Sammy en souriant.

Elles se sont assises et se sont mises à bavarder, passant des gaufres à la petitesse de leurs chambres d'étudiantes, puis à la stupidité de l'assistant du professeur de philosophie française de Sammy. Elles s'entendaient à merveille, exactement comme je l'avais prévu.

Sammy avalait son avant-dernière bouchée lorsqu'elle a eu une idée. (Oui, votre humble serviteur y est un peu pour quelque chose.)

— Tu vas peut-être trouver ça bizarre, a-t-elle dit, mais j'ai deux entrées pour le zoo d'Asheboro, demain, et ma coloc, qui devait m'accompagner, me fait faux bond. Ça te dirait de venir avec moi ?

Cara a éclaté de rire.

— Une invitation au zoo ? En effet, c'est bizarre !

— Je sais, a répondu Sammy en ajoutant un peu de sirop au chocolat sur sa dernière bouchée, mais c'est sympa, les animaux, non ?

— Carrément, a répondu Cara en souriant. OK, j'en suis.

Et voilà comment mon plan, tout simplement, était de nouveau sur les rails.

29.

Pendant ce temps, à l'autre bout de la ville

— On peut savoir pourquoi je n'arrive pas à capter Internet ? a demandé Gael en sortant de sa chambre. C'est quoi, cet appartement *pourri* ?

Dans la minuscule cuisine, son père était en train de faire cuire du bacon et des œufs, tandis que Piper équeutait des fraises. Ils portaient des tabliers assortis, ceux que sa mère avait achetés à toute la famille, deux Noëls plus tôt. Sur celui de Piper était écrit « L'œuf... ou la poule ? » et sur celui de son père « La poule... ou l'œuf ? ».

— On capte très bien dans le salon, a répliqué son père en retournant une tranche de bacon.

— Bonjour l'intimité, a rétorqué Gael.

— On capte aussi très bien dans ma chambre, si tu veux, lui a offert son père.

L'idée de passer son coup de téléphone là où son père baratinait cette fille le rendait malade.

— Je veux pouvoir parler dans *ma* chambre.

Piper s'est arrêtée de couper ses fraises pour le regarder en croisant les bras.

— Tu ne peux pas te passer de ton téléphone cinq minutes ? Maman dit que tu es accro.

— Maman n'est pas là, d'accord ?

Son père a posé sa fourchette et s'est tourné vers lui.

— Tu n'es pas obligé d'être aussi désagréable, Gael. Nous faisons tous des efforts.

Gael a levé les yeux au ciel.

— Ton bacon est en train de cramer, a-t-il lâché.

Il est parti s'asseoir sur le canapé pendant que son père retournait à ses fourneaux et que Piper courait dans la cuisine en agitant un torchon pour dissiper la fumée.

Leurs samedis matin, avant, suivaient la même routine : depuis que Gael était assez grand pour s'occuper de sa sœur, son père allait courir pendant que sa mère allait au yoga. Ils se retrouvaient tous ensemble vers onze heures pour le brunch.

Cette tradition ne lui avait posé aucun problème jusqu'à la séparation de ses parents. Au début, les tentatives de son père pour faire « comme d'habitude » lui avaient seulement paru pathétiques ; maintenant, c'était si évident qu'il voulait se faire pardonner quelque chose que c'était insupportable. Même l'odeur du bacon grillé, qu'il adorait, le dégoûtait.

Dans ses contacts, il a sélectionné « Cara » et appuyé sur « appel ». Il a attendu qu'elle réponde, les yeux sur un morceau de peinture écaillée au coin du plafond. Cet endroit, avec ses murs tout blancs, n'avait rien à voir avec *sa* maison. Chez lui, sa mère avait choisi la couleur de chaque pièce, il y avait des vieux meubles en bois ciré et ça sentait bon la lavande.

L'appartement de son père était, lui, d'une modernité sinistre, et le balcon miteux ne faisait que rappeler cruellement l'absence de jardin. Et on n'y captait même pas le réseau.

Le détecteur de fumée, en revanche, fonctionnait à merveille.

— Salut, a dit Cara à l'instant où l'alarme se déclenchait.

Gael a serré les dents.

— Attends Cara, pardon. Eh, a-t-il crié à son père, tu peux couper ça ?

— Il y a le feu chez toi ? a gloussé Cara. Je sais que c'était une belle victoire, hier, mais il n'y a quand même pas de quoi s'emballer !

Il a ri nerveusement.

— Tu veux sortir, ce soir ? a-t-il demandé, le cœur battant, tandis que son père neutralisait la sirène.

Il l'a entendue soupirer et lâcher :

— Je ne peux pas.

Il en a conclu dans la seconde qu'elle se fichait pas mal de lui, que son prétexte du mois de novembre n'était qu'une excuse, qu'il avait une fois de plus pris ses désirs pour la réalité et que…

— Mais si tu es libre demain, a-t-elle enchaîné, j'ai prévu d'aller au zoo d'Asheboro avec une copine. Elle m'a dit que je pouvais amener des gens.

— Tu vas au zoo ? a-t-il demandé un peu surpris.

Piper est apparue devant lui.

— Le zoo ! Le zoo ! Je veux aller au zoo. Emmène-moi ! S'il te plaît, Gael, s'il te plaît, s'il te plaît !

— Arrête de crier !

— Qu'est-ce qui se passe ? a demandé Cara.

Gael a tourné le dos à Piper dans l'espoir de la décourager.

— Ma petite sœur a entendu et elle me supplie de l'emmener, a-t-il répondu en levant les yeux au ciel.

S'il avait été chez lui, il aurait pu parler tranquillement.

— Oh, a dit Cara.

— Pitié, pitié, s'il te plaît, pitié ! continuait Piper en trépignant.

Il a toussoté.

— Je ne crois pas…

— Allez, Gael. Ça va être tellement bien ! S'il te plaît…

— Heu, pourquoi pas ? a dit alors Cara. J'aurais l'occasion de la rencontrer, comme ça.

Gael a posé les yeux sur Piper, puis sur son père qui opinait vigoureusement.

— D'accord, c'est bon, a-t-il fini par dire en regardant sa sœur. On va au zoo, demain.

Elle s'est aussitôt mise à courir autour du canapé en battant des mains.

(Et moi, je me frottais les miennes, aussi ravi qu'elle.)

30.

L'équipe Sam-Gael

L e lendemain, sur le trajet du zoo, Piper était étrangement silencieuse. Elle passait son temps à sortir des feuilles de son sac à dos et à les examiner pensivement. Gael ne lui a pas demandé ce qu'elle faisait. C'était généralement plus simple de ne pas l'interroger.

À la place, il s'est demandé ce que Cara avait en tête. D'un côté, elle avait refusé de sortir un samedi soir et, de l'autre, elle lui avait proposé un rendez-vous super neutre. En compagnie de sa petite sœur en plus. Peut-être qu'elle voulait vraiment, et seulement, être amie avec lui...

(Je profite de l'occasion pour dénoncer ici une petite ornière dans laquelle vous vous embourbez fréquemment, mes amis : passer des heures à vous demander si quelqu'un vous apprécie, au lieu de vous demander si *vous* l'appréciez *lui*.)

Gael était si absorbé par ses réflexions qu'il ne s'attendait pas du tout à ce qu'il a découvert en arrivant devant le zoo. Là, juste à côté de Cara, appuyée contre le panneau de la section « Afrique », son fichu exemplaire de *Candide* à la main, se tenait...

Sammy.

Il était tellement surpris qu'il n'a même pas pensé à leur faire signe. Il s'est engouffré dans le parking, à la recherche d'une place disponible.

— Sammy ! a piaillé Piper en battant des mains. Je ne savais pas qu'elle serait là !

Il a garé sa voiture en hochant la tête. Se pouvait-il que Sammy soit l'amie de Cara ? L'Université de Caroline du Nord comptait plus de *vingt mille étudiants.* Ce serait une sacrée coïncidence, carrément hallucinante même. Et pourtant...

— Moi non plus, a-t-il répondu à sa sœur. Je n'en savais rien, tu peux me croire.

★

Après les exclamations d'étonnement et les explications de Cara, après que chacun s'est émerveillé de la petitesse du monde et des surprises qu'il réservait parfois, ils ont pris leurs billets et sont allés vers la grande esplanade « Bienvenue en Afrique ».

Piper a couru vers le Crocodile Café. Elle raffolait des glaces à l'eau.

— Piper, a crié Gael, attends !

Sammy s'est élancée à sa poursuite, l'a attrapée par la main et l'a ramenée à Gael. Il s'en est aussitôt voulu – Sammy n'était pas là pour s'occuper de sa petite sœur. De son côté, Cara, qui était quand même à l'origine de tout ce bazar, étudiait le plan du zoo sans se soucier du reste du monde. Il a éprouvé une petite pointe d'agacement, qui l'a surpris. Cara ne pouvait pas deviner que son amie était la baby-sitter de sa petite sœur. C'était juste une de ces coïncidences super bizarres…

Il s'est tourné vers Sammy.

— Tu n'es pas obligée de surveiller Piper. Elle est sous ma garde, aujourd'hui.

— Je ne suis sous la garde de personne ! a protesté Piper. Je suis responsable de moi-même. C'est maman qui l'a dit.

— Bien sûr que tu es responsable de toi-même, a dit Sammy en souriant gentiment à Piper. Ça ne t'empêche pas de rester avec le groupe.

Piper a hésité.

— D'accord, a-t-elle fini par accepter. Mais j'ai quelque chose de génial à vous montrer, alors on peut se dépêcher ?

Tandis qu'elle prenait son frère et sa baby-sitter par la main pour les entraîner avec elle vers le café, Gael s'est tourné vers Sammy pour la remercier.

Après avoir acheté une glace à l'eau pour sa sœur et une portion de frites de patates douces à partager, ils sont allés s'asseoir.

Piper a aussitôt sorti deux feuilles de son sac et les a posées fièrement sur la table.

— Qu'est-ce que c'est, Piper ? a demandé Gael.

— Une chasse au trésor vidéo. Avec des gages. On se partage en deux équipes. Je l'ai trouvée sur Internet. On peut le faire, s'il vous plaît, on peut le faire ? a-t-elle enchaîné d'une traite.

— Bof, a commencé Cara. Franchement, je ne…

Mais Sammy ne l'a pas laissée poursuivre.

— Tu as préparé tout ça pour nous ? a-t-elle demandé à Piper.

— Enfin, je l'ai juste imprimée, mais j'ai cherché sur *tous* les sites avant de trouver la bonne.

(Soutenue par mes encouragements, bien sûr.)

Sammy a pris une feuille.

— « Se dandiner comme un canard pendant soixante secondes », a-t-elle cité au bout d'un instant. C'est rigolo, ça. Vous ne voulez pas qu'on essaie ?

— Bah, pourquoi pas, a répondu Gael.

Cara a fait la moue, mais elle n'a pas protesté.

Gael n'avait aucune envie de se lancer dans une chasse au trésor, mais il se disait qu'il allait faire équipe avec Cara et il était reconnaissant à Sammy d'avoir pris Piper au sérieux. Sa sœur allait adorer. D'ailleurs, elle a croisé les mains et les a regardés tous les trois avant d'annoncer :

— Bon, on fait deux équipes et on relève tous les défis, sans oublier de se filmer, hein ? Et je me mets avec Cara. On sera l'équipe « Para », comme « Piper et Cara », a-t-elle expliqué. Et comme « parachutistes ». Enfin, vous voyez.

Elle a pris une feuille.

— J'ai déjà écrit les noms.

(Vous vous demandez sans doute pourquoi Piper ne voulait pas être avec Sammy. Laissez-moi vous l'expliquer. Piper adorait Sammy, bien sûr, mais son institutrice leur avait fait un petit discours sur l'importance de se faire de nouveaux amis – initiative inspirée, en grande partie, par moi – et Piper adorait faire plaisir à son institutrice.)

— Tu es sûre ? lui a demandé Cara.

— Pourquoi ? a répondu Piper, hésitante. Tu ne veux pas être avec moi ?

J'ai senti l'univers se figer. Gael, tandis qu'il voyait naître une profonde déception sur le visage de sa sœur, s'est dit que même les girafes avaient cessé de mâcher leurs feuilles.

Piper était une petite fille de huit ans confrontée au divorce de ses parents et dont le grand frère ne s'occupait pas beaucoup, elle n'avait pas besoin de souffrir davantage.

Mais avant qu'il ait le temps d'intervenir, Sammy a demandé :

— Tu ne préfères pas faire équipe avec moi, Piper ?

Pour un peu, Gael l'aurait prise dans ses bras.

— C'est vrai, a renchéri Cara, tu ne veux pas te mettre avec Sammy ?

Un coup de vent lui a renvoyé sa queue-de-cheval dans la figure. Elle l'a repoussée d'un coup sec, pendant que Gael s'interdisait de la fusiller du regard.

— Alors tu ne veux vraiment pas jouer avec moi ? lui a demandé Piper, dépitée. Je connais pourtant plein de choses sur les animaux et je filme super bien avec le téléphone.

Cara a haussé les épaules.

— Bien sûr que si, elle veut ! est intervenu Gael, agacé.

Qu'il envoie sa petite sœur promener était une chose ; que quelqu'un d'autre s'en charge en était une autre. Et il n'était pas prêt à passer la journée avec Cara aux dépens de Piper.

— Si, bien sûr, a répliqué Cara. Je suis très contente d'être avec toi.

— Et notre équipe, a demandé Sammy en changeant de sujet, comment on va l'appeler ?

— Gammy ? a ironisé Cara d'un ton moqueur. Comme *game* et *mamie*.

— Pourquoi pas ? a dit Sammy sans se formaliser de l'agacement de Cara. Gael ?

— D'accord.

Il ne pensait plus qu'à quitter le café, maintenant, et à commencer ce stupide jeu. Il espérait seulement que Cara allait se dérider, une fois qu'elle serait avec Piper.

— Et pourquoi pas Samgael ? a lancé sa sœur en retrouvant son sourire.

— Samgael ! a gloussé Sammy. Comme Samsagace Gamgie, le fidèle ami de Frodon et son ange gardien.

Gael a éclaté de rire. Cara, de son côté, ne semblait pas comprendre la plaisanterie. Pas étonnant, s'est dit Gael, elle n'était pas fan de cinéma et elle n'avait apparemment pas vu *Le Seigneur des anneaux*.

— C'est génial, a dit Sammy.

— Oui, super, a renchéri Gael. Bien vu, Piper.

31.

Le tour du monde
en petit train

Les deux équipes se sont séparées, et Gael et Sammy sont montés dans le petit train en direction de la Grande Forêt Marécageuse d'Amérique du Nord.

Sammy s'est penchée sur les feuilles tandis qu'ils passaient non loin d'un troupeau d'éléphants.

— « Se faire passer pour un chercheur en zoologie plongé dans une étude importante », a-t-elle lu. « Empêcher quiconque de faire le moindre bruit, et », oh, « entraîner le public dans une interprétation collective de "I Am the Walrus" ». Dis donc, elle ne s'est pas gênée, ta petite sœur !

Il a éclaté de rire.

— Piper se gêne rarement !

— En effet, mon ami, en effet, a approuvé Sammy en riant, elle aussi.

— Heu, merci de l'avoir soutenue, tout à l'heure.

Sammy lui a souri, et ils sont restés silencieux, au milieu des rires d'enfants et des ahanements du moteur soumis à rude épreuve.

— Au fait, a repris Gael, j'ignorais que tu étais l'amie de Cara. Je n'aurais jamais pris le risque de t'imposer un baby-sitting sauvage !

— Je sais, ne t'inquiète pas. En fait, on n'est pas vraiment amies, je l'ai rencontrée hier – oh ! regarde, s'est-elle interrompue d'une voix tout à coup surexcitée, un bébé éléphant !

Il a éclaté de rire.

— Je ne savais pas que tu étais dingue de bébés animaux.

— Cite-moi une seule personne au monde qui ne craque pas devant les bébés animaux. Ils sont tellement mignons !

Elle l'a regardé en plissant les yeux.

— Tu n'as pas de cœur, ou quoi ?

— Si, j'ai un cœur, et je les aime aussi. Évidemment. Mais tu ne t'es pas entendue hurler ?

Elle a croisé les bras.

— Au lieu de me critiquer, tu ferais mieux de t'interroger sur *ta* capacité à rester calme en face d'aussi...

Elle a souri comme une gosse surexcitée et lancé :

— ... adorables bébés éléphants !!!

Le train a pris un virage, et les éléphants ont laissé la place à un groupe d'enfants armés de sucettes en forme d'animaux.

— Bref, a repris Sammy en croisant les mains sur ses genoux. J'ai rencontré Cara, hier matin, à la cafète. Je me préparais une gaufre et quand j'ai voulu mettre des pépites de chocolat, un abruti avait dévissé le pot et tout s'est renversé par terre. Cara m'a aidée à balayer et on a pris notre petit déjeuner ensemble. Elle est plutôt sympa, même si j'ai eu envie de l'étrangler tout à l'heure, quand elle a repoussé Piper.

— Je comprends, ce n'était pas hyper cool. Moi aussi je l'ai rencontrée d'une drôle de manière. Elle m'est rentrée dedans avec son vélo et puis elle m'a offert de partager ses nachos. On s'est revus et hier, elle m'a dit qu'elle allait au zoo avec une amie et m'a proposé de venir. Plutôt dingue, non ?

(Non, non, je ne dirai rien – j'ai le succès modeste.)

— Tu l'as dit, a opiné Sammy. Le zoo, en fait, c'est mon idée. Je passe la plupart de mes samedis chez mes grands-parents, mais cette fois, j'ai eu envie d'échapper à une énième rediffusion du *Juste Prix*. Comme j'avais des places, j'ai invité Cara.

— Tes grands-parents habitent à Chapel Hill ?

— Juste à côté. Je vais souvent les voir.

— Mince alors, a lâché Gael, surpris. J'appelle les miens tous les quinze jours, et encore, si j'y pense.

En vérité, depuis la séparation de ses parents, il ne leur avait presque pas téléphoné. Leurs discussions, qui portaient d'habitude sur ses études et ses amis, étaient passées à des questions maladroites et inquiètes sur son moral et la façon dont il vivait le bouleversement familial.

Sammy a haussé les épaules.

— J'ai toujours été proche d'eux.

Il l'a dévisagée, légèrement déconcerté. Sammy n'était pas du genre à négliger les autres. Si ses parents divorçaient, elle resterait probablement la même petite-fille attentionnée. Elle était comme ça.

— Quoi ? lui a-t-elle demandé.

— Rien, a-t-il répondu un peu gêné. C'est sympa, c'est tout.

— C'est tout moi, ça ! s'est-elle exclamée dans un rire. La reine de la gentillesse !

Elle a relevé ses cheveux dans un chignon.

— Pour revenir à Cara, ce n'est pas la fille que tu as rencontrée le soir de ton anniversaire, par hasard ?

Il s'est mordu les lèvres.

— Si.

Elle a lâché un rire un peu contraint.

— Je suis étonnée que tu aies voulu faire équipe avec moi !

Il l'a de nouveau dévisagée – ses lunettes branchées, ses cheveux courts, son sourire qui pouvait devenir si grand quand elle s'extasiait sur des bébés éléphants – et, tout à coup, il se moquait bien de la tournure qu'avait prise la journée.

— Non, a-t-il dit, je suis content qu'on fasse équipe.

32.

Dans un zoo
de Caroline du Nord

Clip #1 Durée : 56 secondes

— Un peu de silence, s'il vous plaît, demande Sammy
à un couple qui se promène tranquillement au milieu
de la reconstitution du marais de cyprès chauves de
Louisiane.

L'image se resserre et l'on voit, derrière eux, des libel-
lules voler d'un nénuphar à l'autre.

— J'étudie le langage secret des nénuphars, explique
Sammy en rajustant très sérieusement ses lunettes sur son
nez. Le moindre bruit les perturbe. Vous ne le savez
sans doute pas, mais c'est une véritable symphonie qui
se déroule sur l'eau.

Le couple la croit et l'homme chuchote à sa femme
de ne pas parler si fort quand elle demande à Sammy si
elle travaille pour l'Université de Duke. On entend Gael
éclater de rire quand Sammy répond :

— Il paraît que Mozart s'est beaucoup inspiré des
vibrations de nénuphars pour ses compositions.

Clip #2 Durée : 33 secondes

— *I am the eggman ! They are the eggmen ! I AM THE
WALRUS ! GOO GOO G'JOOB !*[1] chante Gael entouré de
cinq mères, pères et grands-pères, absolument ravis de
chanter avec lui.

L'image tremble pendant que Sammy unit sa voix aux
leurs en les filmant.

Derrière eux, les morses ont l'air perplexes.

Clip #3 Durée : 13 secondes

Sammy aborde une employée du zoo et lui demande :
— Pardonnez-moi, madame, mais pourriez-vous m'indiquer l'enclos des dromadaires à sept bosses ?

Clip #4 Durée : 19 secondes

Gael, accroupi et gesticulant de la tête et des bras, fait
sa plus belle imitation de gorille devant un parterre de
chimpanzés.

— J'ai l'air un peu ridicule, non ? demande-t-il à
l'objectif.

— Pas du tout, répond Sammy. Sérieux. Tu es top.

Clip #5 Durée : 28 secondes

La caméra suit Sammy qui passe devant des grizzlys et
des loups rouges d'Amérique du Nord.

---

1. « I Am the Walrus », chanson des Beatles, enregistrée en 1967. *Walrus* est
le mot anglais pour « morse ». NdT.

— Je crois que tu ferais mieux de faire celui-là, dit-elle à Gael. Je suis quand même en robe.

— Oh, arrête, répond Gael en gardant l'objectif fixé sur elle. Tu es parfaite !

Elle met les deux mains sous son menton et bat exagérément des cils.

— Très bien, Monsieur Brennan, minaude-t-elle. Prête pour le gros plan.

Gael zoome sur elle et son visage remplit l'écran.

— Hé, c'est trop près là !

Sa main bloque l'image. La vidéo s'arrête.

33.

Dîner de famille à trois

A près avoir regardé tous leurs clips ensemble, Gael et Piper ont laissé Sammy et Cara pour retourner dîner chez leur père avant de repartir chez eux pour la semaine.

Ils n'avaient pas franchi le seuil de l'appartement que le père de Gael commençait à les bombarder de questions idiotes sur le zoo. Après avoir appris que Piper avait organisé un jeu de piste, il les a abreuvés de louanges et a voulu voir toutes leurs vidéos.

À table, tandis que Gael faisait de son mieux pour oublier l'accablement que lui inspiraient encore ces dîners du dimanche soir dans un appartement minable en face d'une quatrième chaise ostensiblement vide, son père continuait de parler et de parler du zoo.

— Tu ne m'as toujours pas dit ce que tu as préféré, Gael ?

Son père le regardait bêtement, un sourire idiot plaqué sur sa stupide bouche.

Bien sûr qu'il avait trompé sa mère, se disait Gael en le voyant passer la main dans ses cheveux blonds. Même lui devait admettre qu'il était bien conservé pour son âge. Un jour, il était tombé sur un site où les étudiants postaient des commentaires sur leurs profs, il en avait lu au moins trois qui complimentaient le professeur Brennan sur autre chose que ses qualités intellectuelles.

C'était à cause de ça que sa mère était restée à la maison et que son père avait loué cet appartement pourri.

À cause de ça que leur famille avait... *implosé.*

— Je n'ai pas huit ans, a rétorqué Gael d'un ton sec.

— Eh, a protesté Piper, le menton plein de sauce, c'est bien d'avoir huit ans !

— Bien sûr, a répliqué son père en lui essuyant le menton. Il n'y a pas d'âge pour profiter d'une balade au zoo.

Gael a posé sa fourchette.

— Eh bien, tu n'as qu'à l'emmener, la prochaine fois. On devrait même y aller en famille ! Oh, mais non, s'est-il repris d'un ton faussement désolé. J'oubliais, on ne peut plus.

Son père a baissé les yeux sur son assiette en secouant la tête. Piper, elle, a plissé le front.

— Pourquoi tu dis ça ? a-t-elle demandé ingénument.

— Parce qu'on n'est plus une famille ! Papa et maman ne sont plus ensemble. Quand est-ce que tu vas t'enfoncer ça dans le crâne ?

Les yeux de sa sœur se sont aussitôt embués.

— Gael, a tranché sèchement son père, arrête !

— Arrête quoi ? s'est emporté Gael en se levant brutalement. Vous la trompez complètement, toi et maman ! Elle croit que vous allez vous remettre ensemble et que tout repartira comme avant. Mais c'est faux, je le sais parfaitement, et vous feriez mieux de la mettre au courant !

— Non ! a crié Piper. Ils vont se réconcilier ! Tu ne sais rien du tout ! Je te déteste !

Les derniers mots de sa sœur lui ont fait l'effet d'une gifle. Son père se précipitait déjà pour la consoler, mais Gael n'était pas prêt à le lâcher.

— Ce n'est pas ma faute, lui a-t-il jeté, mais la *tienne*.

Après quoi, il a foncé dans la salle de bains et claqué la porte sur lui.

Frémissant de colère, et désespéré de trouver une justification au ressentiment violent et amer qui l'animait, il s'est mis à fouiller dans les placards, sous le lavabo et dans la douche, à la recherche de la moindre preuve capable d'appuyer sa théorie. Il allait peut-être trouver, comme dans les films, une brosse à cheveux, un rasoir de fille, un tube de rouge à lèvres, ou… un truc.

Après une deuxième inspection du placard à pharmacie, un éclat rose a attiré son regard.

C'était une brosse à dents. *Rose.* Une brosse à dents *de fille*. Avec un joli capuchon qu'il a arraché. Elle avait déjà servi, et récemment.

Entre les appels mystérieux, le baratin sur les « heures sup » et ça, c'était clair : son père avait trompé sa mère. Il avait une maîtresse.

Pourtant, malgré son envie furieuse de retourner à table pour confondre son père, Gael n'arrivait pas à se résoudre. Il ne pouvait pas infliger cette scène à Piper.

Alors il est allé s'enfermer dans sa chambre, maudissant la faible épaisseur des murs pourris de ce fichu appartement qui ne l'empêchait pas d'entendre les sanglots de sa sœur.

34.

À côté de la plaque

Sur une échelle allant de « pas si mal que ça » à « atrocement », Gael était, lundi après les cours, nettement plus proche du dernier stade. Entre sa dispute avec son père devant Piper et sa découverte de la brosse à dents, aucun des bons moments du week-end n'avait survécu. Il s'était excusé auprès de Piper, mais pas auprès de son père (il estimait que celui-ci ne méritait pas grand-chose, désormais).

Le café qu'il avait prévu de boire avec Cara après ses cours était la seule perspective qui lui avait permis de supporter sa journée – il avait même accepté d'aller chez Starbucks pour lui faire plaisir. Il ne savait pas jusqu'à quel point le jeu de piste l'avait contrariée ; ce dont il était sûr, en revanche, c'était qu'il avait besoin d'elle maintenant plus que jamais.

Mais en rentrant chez lui, alors qu'il se garait, il a reçu un texto de Cara :

Exposé de dernière minute, on peut remettre ?

Il a regardé l'horloge sur le tableau de bord. Il était trois heures vingt, et ils avaient rendez-vous à trois heures trente. Dernière minute, en effet.

Il a répondu :

Pas de problème. Demain ?

Il a regardé les trois petits points qui s'animaient sur son téléphone pendant qu'elle tapait sa réponse... Ils ont disparu. Puis ils ont réapparu.

(En fait, j'avais prévu un prétexte pour empêcher Cara de venir, mais – ironie du sort – elle m'avait devancé. Franchement, elle en voulait encore à Gael. Elle lui avait proposé de venir au zoo parce qu'elle avait vu, dans la présence de sa nouvelle amie, un bon moyen de respecter son vœu du mois d'octobre. Son intention avait été de se prémunir, pas de jouer les baby-sitters avec sa petite sœur pendant qu'il traînait avec une autre fille.)

Sa réponse est enfin arrivée.

Pas possible demain non plus. En fait, je vais devoir bosser toute la semaine.

Gael a hésité. Elle lui mettait un vent, c'était ça ?

D'un côté, la logique lui disait oui.

Mais de l'autre (son côté romantique), il pensait à leur baiser, à la façon dont ils s'étaient enlacés et regardés pendant le match de basket. Alors il a décidé de ne pas se formaliser et a répondu.

Je sais que tu n'es pas dingue de ciné, mais une exception pour le dernier Wes Anderson, vendredi soir, ça te tente ?

Après tout, s'il avait l'intention d'aller plus loin avec elle, autant étendre sa culture cinématographique au-delà de Cameron, non ?

Le côté de Cara qui n'était pas contrarié (son côté Monogame en série) lui a dicté sa réponse :

D'ac.

Arrivé devant sa porte, Gael s'est arrêté. Sa dispute avec son père l'avait épuisé, l'échange avec Cara l'avait stressé, et la perspective de s'enfermer dans sa chambre le déprimait. Il n'avait même pas envie de voir un film.

Alors il a fait demi-tour en direction du garage. Il avait besoin d'action, pas de se morfondre.

Le garage était rempli d'affaires de son père : une série d'assiettes et de bols de céramique entassés sur une étagère (vestiges de l'époque où son père avait décidé de se mettre à la poterie), des outils (dont sa mère se servait davantage que lui), un vieux blazer de l'université (qu'il mettait pour tondre la pelouse), une balle de tennis, fixée au bon endroit pour ne pas abîmer sa voiture. À croire que le garage était le dernier endroit de la maison à ne pas être au courant de la nouvelle de son départ...

Gael est ressorti avec un râteau pour ramasser les feuilles mortes.

S'attaquer aux feuilles mortes avait toujours été la mission de son père. Il se souvenait du jour où sa mère avait remis en cause leur division des tâches, qu'elle jugeait trop sexiste. Il lui avait fallu moins d'une semaine pour revenir vers son père, râteau en main, et déclarer : « Si la répartition traditionnelle des tâches veut dire que je n'aurai plus jamais à ramasser les feuilles mortes, j'accepte. » Son père l'avait embrassée sur le front en riant, avant d'aller terminer le travail.

Il aurait dû s'y mettre plus tôt, s'est dit Gael en terminant son premier tas. Ça lui aurait changé les idées. Il devrait aussi être un peu plus présent pour sa mère.

Il avait nettoyé la moitié de la pelouse de devant lorsque Sammy est sortie.

— Beau travail, a-t-elle constaté en lui souriant.

Il a haussé les épaules.

— Autant occuper mes après-midi désœuvrés autrement qu'en vous saoulant, toi et Piper.

Elle a éclaté de rire.

— En parlant de Piper, a-t-elle repris, plus sérieuse, elle m'envoie te faire savoir qu'elle est toujours très remontée contre toi.

Il avait beau s'être excusé, il savait qu'il avait fait beaucoup de mal à sa sœur, mais il ne voyait pas trop quoi faire. Ce n'était pas le genre de blessures qui guérit facilement. Elle en voulait surtout aux mots qu'il avait prononcés. Des mots qui étaient la vérité. Aucune excuse n'y changerait rien.

— Que s'est-il passé ? lui a demandé Sammy. Je l'ai rarement vue dans cet état.

— Je lui ai un peu crié dessus, a répondu Gael, embarrassé. Enfin, je ne m'en suis pas vraiment pris à elle, mais j'ai crié quand même. Elle est convaincue que nos parents vont se remettre ensemble, et aucun d'eux ne la dissuade franchement de cette idée.

— Ça craint, a dit Sammy. Mes parents ont divorcé quand j'avais à peu près son âge. C'est dur.

Gael a éprouvé le besoin pressant, et surprenant, de la serrer dans ses bras, mais il l'a ignoré.

— Je suis désolé. Je ne savais pas.

Elle a poussé du pied une feuille qui avait échappé à la vigilance de Gael.

— Bah, c'est de l'histoire ancienne. Je m'en suis remise. Mais je sais ce que ça fait, surtout quand on est aussi jeune.

Gael a posé son râteau et s'est assis sur la pelouse.

— Viens t'asseoir, a-t-il dit simplement, s'apercevant du même coup combien il était facile d'être lui-même avec elle. Oublie un peu ton rôle de baby-sitter.

— Je prends mon job très au sérieux. Comme tu le sais, a-t-elle ajouté avant de sourire et de s'asseoir à côté de lui.

Il a ramassé une feuille et a commencé à la déchirer en petits morceaux avant de la lâcher et se s'étirer.

— Pourquoi tes parents ont-ils divorcé ? a-t-il demandé. Ça ne te gêne pas d'en parler ?

Elle a haussé les épaules, coincé une mèche de cheveux derrière son oreille et enfoncé les doigts dans l'herbe.

— En fait, je ne sais pas. Ils ont divorcé, c'est tout.

Elle portait une robe chasuble noire sur un T-shirt à rayures, et ses cheveux étaient relevés dans un chignon bien serré, digne des ballerines de l'Opéra de Paris. Il l'imaginait, tournoyant gracieusement sur la pelouse, entraînant avec elle les feuilles mortes qu'il avait ramassées.

Il a décidé qu'il pouvait lui faire confiance.

— Je crois que mon père a trompé ma mère.

— *Quoi ?*

Elle avait pratiquement crié.

— Ça t'étonne ?

— Qu'est-ce qui te fait croire une chose pareille ? a-t-elle demandé en rajustant ses lunettes. Ce n'est pas du tout le genre de ton père.

Gael a haussé les épaules, mais la réaction de Sammy le déstabilisait. Elle n'était pas obligée d'avoir l'air *aussi* choquée. Lui aussi, il avait toujours cru que son père était quelqu'un de bien, mais les gens bien font des trucs moches tous les jours. Il suffisait de voir Anika et Mason.

— Ils ne se sont pas séparés sans raison, a-t-il répondu. C'est la seule explication.

Sammy a baissé les yeux sur ses mains.

— Il n'y a pas nécessairement une seule raison, a-t-elle observé. Ça peut être un faisceau de petites raisons.

Il l'a dévisagée, incrédule, puis il a levé les yeux au ciel. Il aurait bien voulu la croire, mais son expérience lui disait le contraire. Il y avait toujours une bonne raison de quitter quelqu'un, une raison principale qui balayait les autres. Il s'est tourné vers elle.

— Tu sais que tu es un sacré exemple, a-t-il repris, pressé de changer de sujet.

Elle a ri et incliné légèrement le visage.

— Qu'est-ce que tu veux dire ?

Il a haussé les épaules.

— Toi et John. Ça fait trois ans, non ?

(Oh là là, quelle bourde.)

Sammy s'est forcée à sourire.

— J'imagine, a-t-elle lâché avant de se lever. Je ferais mieux de rejoindre Piper. Bon courage pour les feuilles.

Il l'a regardée s'éloigner, complètement inconscient de la gaffe monumentale qu'il venait de commettre.

35.

Conciliabules

Le lendemain au lycée, Gael a eu un choc en découvrant Anika et Mason assis à leur table habituelle à la cantine.

Il s'est arrêté net. Il avait assez de mal à gérer l'hostilité de Piper, la découverte de la trahison de son père et ses incertitudes concernant la possible et précoce lassitude de Cara à son sujet pour avoir affaire à eux. Ces deux-là ne feraient que l'enfoncer davantage.

(J'ai un peu honte de l'avouer, mais je n'avais rien tenté, cette fois, pour les empêcher d'être ici. J'avais vu Gael, la veille au soir, contempler son téléphone, désespérant de pouvoir appeler la personne sur laquelle il avait le plus compté quand ses parents s'étaient séparés. J'ai nommé Anika. Poussé par mes encouragements, et soutenu par sa propre résolution, il s'était convaincu de ne pas passer à l'acte. N'empêche, il l'avait sérieusement envisagé, et lui rappeler qu'Anika n'était plus de son côté ne pouvait pas lui faire de mal.)

Lorsqu'elle l'a vu, Anika lui a souri comme si de rien n'était. De leur côté, Danny et Jenna affichaient une désinvolture travaillée. Mason était le seul à éviter son regard.

— Qu'est-ce que vous faites là ? a demandé Gael.

— On s'est dit qu'on pouvait déjeuner ensemble, a répondu Anika. C'est cool, non ?

Anika avait toujours eu le don de poser des questions qui n'en étaient pas.

Gael a croisé les bras et regardé Mason qui regardait la table.

— Cool ? Je ne crois pas, non.

Anika a soupiré.

— Nous avons discuté et...

— Qui c'est *nous* ? l'a coupée Gael.

Jenna s'est éclairci la gorge et a pris la main de Danny.

— Écoute, Gael, tu as toutes les raisons d'être en colère, mais ce n'est pas juste pour le groupe, tu vois ? Nous sommes tous amis depuis des années, Danny et moi n'avons rien fait. Et ça fait plus d'une semaine qu'on mange séparément. Alors on s'est dit qu'on pouvait se retrouver, s'asseoir à la même table, et...

— Vous vous fichez de moi ? Vous avez fait une réunion de crise ? Sans moi ?

Danny a serré la main de Jenna.

— On s'est dit que tu devrais aussi revenir dans la fanfare, a-t-il dit. Tu manques du côté des saxos.

Gael a levé les yeux au ciel.

— Trop tard. Mr Potter m'a dit vendredi que j'avais loupé trop de répètes pour revenir avant le prochain semestre. Quel dommage, j'aurais tellement aimé passer plus de temps avec vous tous !

Même lui était surpris par le degré d'amertume dans sa voix.

— On s'inquiète pour toi, Gael, a repris timidement Anika. Ce serait mieux pour tout le monde si on se réconciliait.

Il a éclaté de rire, mais en réalité, il était près de s'effondrer. Essuyer les tentatives de réconciliation maladroites de Mason était une chose ; s'asseoir à la même table qu'eux et faire comme si tout allait bien en était une autre.

— Si vous êtes tous d'accord, a finalement déclaré Gael, je vous laisse.

Il s'est tourné vers la sortie et la bonne vieille cour du lycée. Il faisait plutôt froid aujourd'hui, mais il préférait se geler dehors plutôt que subir cette… humiliation.

Mason, au même moment, est sorti de son mutisme.

— Non, a-t-il déclaré. Ce n'est pas ce que je veux, *moi*.

Il a fusillé Anika du regard.

— Je t'avais dit que c'était complètement nul. Viens, on retourne à notre place.

Anika s'est renfrognée.

— *Mason*. J'ai accepté de changer de place seulement parce que je croyais que ce serait *provisoire*.

— Je m'en fiche. Je ne serai pas votre complice, a répliqué Mason.

Sur quoi, il s'est levé pour s'en aller.

Anika a poussé un soupir agacé, et l'a suivi jusqu'à leur table.

— Franchement, merci, les gars, a lâché sèchement Gael en s'asseyant pour sortir son sandwich.

— C'était une idée d'Anika, a dit Danny.

Jenna lui a tapé le bras.

— Ben quoi ? C'est vrai !

Gael a mordu dans son sandwich, mais ses yeux ont

glissé vers la table où Anika et Mason s'étaient assis en leur tournant le dos.

Mason pouvait être le pire des meilleurs amis du monde, se disait-il, c'était tout de même réconfortant de s'apercevoir qu'il n'était pas devenu *complètement* débile.

36.

Comédies romantiques,
tout un programme

Cet après-midi-là, Gael est rentré chez lui à son heure habituelle, désormais prématurée.

Ce qu'il avait dit aux autres était exact : Mr Potter ne l'accepterait pas aux répétitions avant le semestre prochain. De toute façon, il n'était pas certain d'avoir envie de réintégrer la fanfare. En tout cas, pas tout de suite.

Sammy était assise dans la salle à manger. Bras croisés et front soucieux, elle contemplait la masse de tulle et de satin qui encombrait la table et constituait le futur costume de Marie-Antoinette que sa mère avait dessiné pour Piper en vue de la soirée d'Halloween.

— Tu sais où est ta sœur ? a-t-elle demandé à Gael. Elle devrait être là depuis un quart d'heure. Je commence à m'inquiéter.

Il l'a dévisagée un moment avant de se rappeler la sortie dont Piper lui avait parlé au petit déjeuner. C'était la première fois qu'elle s'adressait directement à lui depuis son éclat chez leur père. Il s'était dit, soulagé, qu'elle avait décidé de faire la paix.

— Ma mère ne t'a pas prévenue ? Elle allait au planétarium avec sa classe, aujourd'hui.

Sammy a regardé son téléphone.

— Non, pas d'appel ni de texto. Elle a dû oublier.

Gael a haussé les épaules. Ce n'était pas le genre de sa mère d'oublier un détail pareil. Aujourd'hui, pourtant, il n'était pas franchement surpris.

— Désolé que tu sois venue pour rien.

Sammy a soupiré.

— Bah, ce n'est pas grave.

Elle a pris son sac et s'est levée.

— À demain, alors.

Gael l'a suivie jusqu'à la porte.

— Attends.

Elle s'est tournée.

— Quoi ?

Il voulait lui demander pourquoi elle était partie si vite, la veille, savoir si tout allait bien. Mais ses questions lui semblaient ridicules, tout à coup.

— Tu ne veux pas rester ? On peut faire quelque chose, puisque tu es là.

Elle a haussé les épaules et remonté ses lunettes sur son nez.

— Faire quoi ?

Il a regardé autour de lui, à la recherche d'une idée, et ses yeux sont tombés sur le programme cinéma de la semaine.

— Heu, on peut aller voir un film ? Je ne sais pas trop ce qui passe. Le nouveau Wes Anderson ne sort que vendredi, si jamais ça t'intéresse, mais on peut aller jusqu'au Varsity et voir ce qui s'y joue.

Au même moment, poussé par un courant d'air, le programme de cinéma est tombé aux pieds de Sammy. Gael a tourné les yeux vers la fenêtre. *Bizarre*, s'est-il dit. Il aurait juré qu'elle était fermée deux secondes plus tôt.

(C'est drôle, je l'aurais juré, moi aussi.)

Sammy l'a ramassé.

— Ah oui, c'est vrai, s'est-elle exclamée en voyant la première page. *Goodbye Yesterday* passe au Varsity.

Gael s'est approché. Une photo montrait une jolie fille les yeux levés sur un grand type à l'allure décontractée.

— Une comédie romantique ! s'est-il esclaffé. J'aurais dû m'en douter.

Sammy a levé les yeux au ciel.

— C'est ça ou un film étranger déprimant. Ils ne passent que ce genre de trucs au Varsity.

Cette fois, il a éclaté de rire.

— Tu es sérieuse ?

Elle s'est adossée au mur en croisant les bras.

— Je n'ai rien contre le cinéma d'auteur, sauf qu'il me donne l'impression d'être en cours. En plus, la réalisatrice de *Goodbye Yesterday* est une femme super drôle qui fait des trucs géniaux sur YouTube. Ce n'est certainement pas aussi ringard que tu le crois. Et même si c'est le cas, ça ne va pas te tuer.

Elle a baissé les yeux sur le journal.

— La séance débute dans une demi-heure.

— C'est bon, a dit Gael en levant les mains. J'accepte. Mais je m'accorde le droit de critiquer le film autant que je veux.

— Tu vas peut-être l'adorer, a répliqué Sammy avec un sourire en coin.

— Peut-être.

191

Il est allé chercher de l'argent dans la réserve que laissait sa mère à la cuisine en cas d'urgence. (Après tout, ce n'était que justice, puisque c'était elle qui avait oublié de prévenir Sammy.) Puis il a pris sa veste et suivi Sammy dehors.

Ils ont pris Henderson Street en direction de Franklin. L'air était frais et Sammy a serré son écharpe colorée autour de son cou, avant d'enfoncer ses mains dans ses poches.

— Alors comme ça, a dit Gael, tu aimes les comédies romantiques ?

Elle a haussé les épaules.

— J'en vois beaucoup, mais je préfère les films d'horreur.

— *Les films d'horreur ?*

— Oui. Ça te pose aussi un problème ?

— Non, pas du tout. Mais ça ne te ressemble tellement pas.

Ils ont tourné dans Rosemary Street au moment où une voiture les dépassait au rythme d'une chanson de Sublime lancée à plein volume.

— Je regarde aussi les films sérieux, a repris Sammy, je ne suis pas sectaire. Si tu te limites, par snobisme, à un seul genre de films, tu passes à côté de tous les autres. Certains sont excellents. Qu'est-ce que tu as *contre* les comédies romantiques ?

— Ce que je leur reproche, a commencé Gael tandis qu'ils passaient devant de superbes maisons à l'architecture typique du Sud, c'est d'être ultra conventionnelles. Les scénarios sont pitoyables et les histoires tellement… prévisibles.

— Oh, parce que les films que tu regardes sont tellement originaux ? J'ai vu les étagères, dans ta chambre. Les films noirs des années 70, *Eternal Sunshine of the Spotless*

Mind, Wes Anderson. Ne me dis pas que Wes Anderson n'est pas ultra prévisible. Un jeune héros qui lutte pour trouver sa place dans le monde, des filles toujours bizarres et des couleurs qui n'ont rien à voir avec la réalité !

Il a éclaté de rire.

— Arrête, ses films sont super drôles !

Elle a croisé les bras avec un air de défi.

— Les comédies romantiques aussi. Ce n'est pas une tare d'être « grand public ».

Il a soupiré.

— D'accord, certains des films que j'aime sont prévisibles, mais tu ne peux pas prétendre que des films comme *Serpico* ou *Taxi Driver* ne sont pas géniaux. Ils sont *énormes*.

— C'est vrai, et j'aime *Serpico*, a-t-elle enchaîné alors qu'ils s'arrêtaient à un croisement. Mais laisse-moi quand même te faire le pitch : un jeune flic plein d'idéaux essaie de dénoncer ses méchants petits copains tous pourris, se laisse déborder par les événements, dégringole en enfer, gâche au passage sa belle histoire d'amour, mais gagne quand même à la fin !

Gael a ignoré sa démonstration plutôt pertinente pour lui dire :

— Aucun de mes amis n'a vu ni même entendu parler de *Serpico*.

Elle a haussé les épaules.

— Mon père est originaire de Brooklyn, et il est complètement dingue de tous les films tournés à New York à cette époque – il passe son temps à répéter que les années 70 sont les dernières où « New York était vraiment New York » –, même s'il n'avait que huit ans à ce moment-là et que ma grand-mère ne pouvait même pas l'emmener au square à cause de toutes les seringues qui traînaient par terre.

— Waouh, a dit Gael, impressionné. C'est super cool d'avoir grandi à Brooklyn.

Ils sont passés par l'allée, entre Rosemary Street et Franklin Street, où la marchande de fleurs avait dit à Gael, moins de deux semaines plus tôt, qu'Anika ne valait pas le coup. Il a failli éclater de rire en se rappelant ses propos. Qui aurait cru que les marchandes ambulantes étaient si perspicaces ?

— Et pour *Eternal Sunshine*, a-t-il repris, tu dirais quoi ? Elle s'est mordu la lèvre.

— Alors ?

— En fait, je ne l'ai pas vraiment vu, a-t-elle avoué. Il s'est arrêté net.

— Tu rigoles ?

— Oh, arrête ! Tous les cinéphiles me rebattent les oreilles avec ce film. Il ne peut pas être *aussi* génial que ça. J'ai lu le résumé. Ça ne donne pas franchement envie.

— Regarde-le, a simplement dit Gael.

— Oui, oui, je le ferai.

— Je suis sérieux, Sammy. Je ne bougerai pas d'ici tant que tu ne m'auras pas promis que tu iras le voir.

Elle a continué d'avancer, et ce n'est qu'au bout de dix pas qu'elle s'est aperçue qu'il n'était pas avec elle. Elle a pivoté.

— Tu plaisantes ? a-t-elle demandé, une main sur la hanche.

Il l'a imitée, de façon provocante, mais gentille.

— Si tu veux que je t'accompagne au cinéma, tu dois me promettre d'aller voir *Eternal Sunshine*.

Elle a fait un pas vers lui.

— Tu me fais du chantage ?

— Exactement.

Elle l'a dévisagé un moment, puis un sourire s'est étiré sur ses lèvres.

— D'accord, a-t-elle cédé. Je te promets d'aller voir ce film génialissime. Ça te va ?

— Parfaitement, a-t-il répliqué en la rejoignant. Tu vois, ce n'était pas si difficile.

Ils sont arrivés sur Franklin Street.

— Puisque tu m'obliges à voir *Eternal Sunshine*, tu es obligé de voir un film de mon choix, a-t-elle déclaré tandis qu'ils prenaient place dans la queue devant le cinéma.

— Ce n'est pas ce que je fais, maintenant ?

Elle a levé les yeux au ciel (ce qu'elle faisait à la perfection).

— Ce n'est pas moi qui ai choisi ce film, mais les circonstances. Non, *le* film que je veux que tu voies, c'est *Quand Harry rencontre Sally*.

Ils étaient arrivés devant la caisse.

— Et pour vous ? leur a demandé le vendeur.

Avec des piercings à chaque sourcil et le tatouage d'un valet de pique qui dépassait de son T-shirt noir, il avait l'air macabre derrière le comptoir décoré de toiles d'araignée pour Halloween.

— Deux places pour *Goodbye Yesterday*, a dit Gael. Il paraît que c'est bien, a-t-il ajouté en se tournant vers Sammy.

37.

Bref détour du côté de Mason

Pendant que Sammy et Gael regardaient le héros de *Goodbye Yesterday* accomplir son immanquable exploit pour reconquérir sa dulcinée, Mason, de son côté, travaillait à l'élaboration du sien.

Il avait annulé son rendez-vous avec Anika pour aller à la papeterie acheter un panneau de carton et d'autres fournitures.

Il était maintenant chez lui, assis à la table de la salle à manger, une fourchette de fettucine au pesto dans une main, un tube de colle dans l'autre.

Il avait exploré des centaines d'articles sur Wikipédia. Il n'en avait peut-être pas retenu grand-chose, mais il s'était attelé, pour la première fois de l'année, à son devoir de chimie.

Il découpait, collait et écrivait proprement.

Il se fichait du temps qu'il y consacrait ; il y passerait la nuit, s'il le fallait.

L'important, c'était de tout faire pour arranger les choses. Et il était déterminé.

38.

La vérité finit par éclater

L a nuit était tombée quand Sammy et Gael sont sortis du cinéma. Les lampadaires nimbaient d'une même lueur dorée la file d'enfants qui faisaient la queue devant le glacier et les groupes d'étudiants qui se bousculaient, les bras chargés du matériel indispensable pour assister dignement au match de foot du week-end.

Ils sont partis d'un pas tranquille, traînant devant chaque devanture, celle de Krispy Kreme, puis celle de Sutton, l'antique pharmacie qui vendait des milk-shakes au lait malté et n'avait pas changé depuis les années 50.

— Alors, a demandé Sammy, c'était aussi atroce que tu l'avais cru ?

Il a ralenti en approchant du bureau de poste où il avait l'habitude de traîner, à une époque qui lui semblait si loin.

— J'admets que c'était plutôt… pas mal.

— Tu vois ! s'est-elle exclamée. Je te l'avais dit. Les dialogues étaient bons, non ? Et le travail de caméra ? Tu ne t'y attendais pas, hein ?

— Ça, c'est sûr !

Un groupe de pseudo-punks couverts de piercings les a croisés, et Sammy a tourné la tête en direction du campus. Suivant son regard, il a aperçu le planétarium où il avait embrassé Anika, le bar où ses parents avaient l'habitude d'aller de temps en temps... Cette ville contenait tant d'histoires et de souvenirs. Aujourd'hui, ils lui rappelaient à quelle vitesse tout peut changer.

— Bon, a dit Sammy en se tournant vers lui, j'imagine que je n'ai plus qu'à retrouver ma chambre.

Gael a hésité (et je n'ai fait que lui souffler la plus minuscule des infimes réflexions).

— En effet, a-t-il répondu. Il ne faudrait pas que John se fasse des idées.

Le visage de Sammy s'est instantanément figé.

— Pardon, s'est excusé Gael. C'était une blague débile. Je suis désolé.

Elle a regardé ses boots avant de lever enfin les yeux sur lui.

— Non, ce n'est pas ta faute. Je, heu... En fait, je n'ai pas été... tout à fait franche avec toi.

Il a senti un poids lui tomber sur l'estomac. Elle lui avait menti, la veille, en lui disant que son père n'était pas du genre à avoir une maîtresse ; elle savait peut-être même quelque chose... Il a regardé le bar et s'est demandé si son père y avait aussi emmené cette fille.

— Je t'écoute, a-t-il dit la gorge nouée.

Elle a plissé les yeux, un peu déconcertée.

— Ce n'est pas un truc grave. Enfin, pas pour toi. C'est que...

— Quoi ?

Elle s'est mordu les lèvres.

— Je me sens stupide, je ne sais même pas pourquoi j'ai tellement de mal à le dire. Bon.

Elle a pris une bonne inspiration et s'est lancée :

— En fait, on a rompu John et moi. Il y a un mois et demi.

— Waouh ! a lâché Gael, stupéfait. Je m'attendais pas du tout à *ça*.

Elle a haussé les épaules.

— Je sais. J'aurais dû en parler plus tôt.

Quelques étudiants arrivaient, et Gael s'est écarté pour les laisser passer. Sammy l'a imité.

— Pourquoi n'as-tu rien dit ?

Elle a regardé ailleurs avant de répondre.

— Je ne sais pas. Toi et ta mère étiez encore sous le choc du départ de ton père. Mon histoire semblait tellement futile que j'ai préféré ne rien dire. Ensuite, j'ai essayé de t'en parler – le soir de ton anniversaire, par exemple –, mais tu avais d'autres soucis en tête.

Elle a poussé un soupir.

— Le temps avait passé. Personne ne se doutait de rien et, je ne sais pas, je trouvais de plus en plus bizarre de vous annoncer la nouvelle tout d'un coup.

— Mince, alors ! Qu'est-ce qui s'est passé ?

Cette fois, Sammy a franchement détourné le regard.

— Il a dit, en gros, qu'il avait besoin « d'espace » pour trouver ses « repères » dans son nouvel « environnement » – elle avait fait les guillemets avec les doigts tout en parlant. Le truc classique quand on veut sortir avec quelqu'un d'autre. J'aurais dû m'en douter. J'aurais dû comprendre qu'il nous arriverait la même chose qu'à tout le monde, qu'on n'avait aucune chance dans une relation à distance.

Gael a plissé le front.

(Moi aussi. Sammy avait beau raffoler des comédies romantiques – qu'elle jugeait aussi crédibles que les films d'horreur –, elle était en réalité une Cynique[1] convaincue. Depuis qu'elle sortait avec John, elle attendait ce qui allait bien pouvoir clocher. J'étais désolé que ce soit arrivé. Ça n'allait pas toujours se passer de cette façon, bien sûr – j'avais beaucoup d'excellentes choses en réserve pour elle –, mais les Cyniques sont si difficiles à convaincre.)

— Enfin bon, a-t-elle repris nerveusement, je n'ai pas trouvé le bon moment. Je ne voudrais pas que tu me prennes pour une de ces tarées qui refusent d'accepter leur rupture.

Il a éclaté de rire.

— Je n'irai jamais penser une chose pareille ! Par contre, quel abruti j'ai fait en te répétant toutes les deux secondes que tu ne pouvais rien comprendre à mes histoires. Tu savais *exactement* ce que je traversais.

Il se sentait stupide. Même si Sammy n'avait rien dit, il aurait dû s'apercevoir que quelque chose n'allait pas.

— Ne t'inquiète pas, c'est ma faute. Et, pour répondre à ta question, non, John ne sera pas jaloux. Maintenant, je dois vraiment filer.

----

1. Cynique : celui ou celle qui refuse en bloc tout ce que les films, leurs ami(e)s, ou même leurs adorables grands-parents disent de l'amour. Ardemment convaincu(e)s que la plupart des histoires sont vouées à l'échec, ils font tout pour se protéger lorsqu'ils en vivent une. Peut entraîner le refoulement de sentiments sincères et profonds, la certitude que les choses vont mal tourner, et l'attente du pire. Peut aussi déboucher sur une exceptionnelle fidélité lorsqu'ils donnent leur cœur à quelqu'un, parce qu'ils le font rarement.

Avant qu'il puisse dire quoi que ce soit, elle avait tourné les talons et traversé la rue, juste avant que le feu ne passe au vert.

Il l'a regardée s'éloigner vers le campus, puis il est parti vers Henderson et chez lui, d'un pas un tout petit peu plus léger.

39.

Belle amitié virile

Ce matin-là, et pour la première fois depuis long-temps, Gael allait plutôt bien en arrivant au lycée. Piper n'était plus fâchée contre lui, Anika était de nouveau bannie de leur table et la perspective de revoir Sammy après les cours le faisait frémir d'impatience. La veille au soir, après avoir regardé un film adapté à l'âge de Piper et mangé la pizza commandée par sa mère, il avait téléchargé le film dont elle lui avait parlé. Il avait visionné *Quand Harry rencontre Sally* et il avait hâte de lui en parler.

Sa bonne humeur, en arrivant en cours de chimie, s'est pourtant vite effondrée. Non seulement Mason était en avance (ce qui ne lui ressemblait pas), mais il avait en plus un immense sourire aux lèvres et l'air pressé de lui raconter sa vie.

Gael a jeté son sac à dos sur la paillasse et l'a ignoré. Quoi que puisse augurer la mine radieuse de Mason, il n'avait pas envie d'en savoir plus. Il ne manquerait plus qu'il veuille partager avec lui les derniers développements de son histoire avec Anika !

Mason s'est tourné vers lui, tout sourire.

Gael a sorti son gros livre de cours, sans lui donner satisfaction. Mason avait peut-être pris sa défense, la veille, ils n'étaient pas pour autant redevenus les meilleurs amis du monde.

Mason s'est éclairci la gorge.

Gael n'a pas bronché.

Mason a recommencé, de plus en plus fort, jusqu'à ce que Gael cède.

— C'est bon ! a-t-il lâché. Je ne veux pas te parler, d'accord ?

En guise de réponse, Mason lui a posé sous le nez un panneau de carton plein de couleurs, de graphiques et de commentaires.

— Qu'est-ce que c'est ? a demandé Gael.

— Le devoir facultatif, a répliqué Mason, rayonnant. Trois points de plus sur la moyenne générale. De quoi m'assurer un 12 et toi, au moins un 20.

Il posait le doigt sur les deux noms inscrits dans le coin à droite : *Gael Brennan et Mason Dewart.*

— Tu n'étais pas obligé, a dit Gael, troublé. D'ailleurs, tu peux effacer mon nom.

Mason a haussé les épaules.

— On est en binôme, je te rappelle. Et j'ai écrit au feutre, ce sera moche si je raye ton nom.

Gael regardait le travail de Mason. Celui-ci, étonnamment, était réussi.

— Il fallait choisir dix éléments chimiques ou composés chimiques élémentaires et illustrer leurs usages dans la vie courante, a précisé Mason d'une voix détachée.

— Je ne me souviens pas avoir entendu la prof nous parler de ça.

Mason a éclaté de rire.

— Tu ne fais pas attention à grand-chose, ces derniers temps !

Gael allait répliquer, mais Mason ne lui en a pas laissé le temps.

— Je sais, je sais, tu as toutes les raisons d'avoir la tête ailleurs.

Gael a reposé les yeux sur l'exposé de Mason.

— Kr est le symbole du krypton, vieux, pas de la *kryptonite*.

— Oh, merde ! Désolé, a dit Mason d'un ton si consterné que Gael a éclaté de rire.

— Donne-moi ton feutre, je vais corriger.

Il a rayé les lettres superflues le plus proprement possible.

— Alors, ça te va ? a demandé Mason. Je peux le donner à la prof ?

— Oui, a dit Gael au bout d'un moment.

— Cool ! s'est exclamé Mason en se levant pour aller poser son dossier sur le bureau de Mrs Ellison.

Gael a attendu qu'il revienne à sa place.

— Merci, a-t-il lâché rapidement avant de faire semblant de se plonger dans son livre de chimie.

Il ne pouvait pas s'empêcher de rendre justice à son ami – correction : son *ancien* ami. Mason était peut-être un beau salopard doublé d'un fieffé menteur, et un je-m'en-foutiste de la pire espèce, son geste ne manquait pas de panache.

Que voulez-vous que je vous dise, sinon que les plus belles preuves d'amour n'ont parfois strictement rien de romantique.

40.

Wes occasion manquée

L orsque Gael est rentré du lycée, Piper – dans l'attente de porter son incroyable déguisement d'Halloween – était d'une humeur radieuse. (Il devait reconnaître que sa mère était épatante : elle était capable d'affronter un divorce *et* de créer un magnifique costume du XVIIIe siècle tout en assurant son job à la fac, l'intendance à la maison, et le reste.) Piper avait demandé à Sammy un cours spécial sur Marie-Antoinette, complété par des phrases du type : « Ils n'ont qu'à manger de la brioche ! » Elle avait demandé à son frère de ne pas les interrompre pendant leur « travail important », et, comme Gael s'efforçait encore de gagner des points auprès de sa petite sœur, il n'avait pas insisté.

Finalement, il était presque cinq heures lorsqu'il a vu Piper travailler tranquillement, pendant que Sammy lisait *Candide* dans son coin.

— J'ai vu *Quand Harry rencontre Sally*, hier, a-t-il dit tout à trac.

Sammy a sursauté, puis levé les yeux en riant.

Gael s'est tout à coup senti gêné. Il aurait pu trouver mieux, comme entrée en matière.

— Oh, pardon, a-t-il dit. J'étais pressé de t'en parler.

Piper a croisé les bras.

— J'essaie d'apprendre ma leçon. Vous êtes obligés de parler ?

— Tu sais que tu peux aller dans ta chambre, si tu veux être tranquille, lui a suggéré Sammy.

Piper a bougonné, mais elle n'a pas bougé.

— Et alors ? a repris Sammy en se tournant vers Gael.

Il a fait la grimace.

— Alors c'est un peu tiré par les cheveux.

Elle a éclaté de rire.

— Tu étais pressé de me dire que j'ai des goûts nuls en cinéma ?

Elle a posé son livre et croisé les mains sur ses genoux.

Gael a pris une chaise pour s'asseoir à côté d'elle.

— Je n'ai pas dit que c'était nul, s'est-il défendu. Seulement pourquoi ne sont-ils jamais sortis ensemble *avant* ? C'est juste une grosse ficelle pour faire le film.

— Mais les dialogues ! s'est exclamée Sammy. Ils sont super ! Nora Ephron est une scénariste incroyable !

— D'accord, mais le côté « il faut des siècles pour se rendre à l'évidence », franchement…

— Mais justement, Gael ! Tout est là ! Certains mettent des années à voir ce qui crève les yeux !

— Ça, c'est bien vrai, a dit Piper en levant la tête. Certains ne se rendent même pas compte qu'ils s'aiment bien.

(Bien vu, Piper !)

Gael l'a ignorée.

— Ce n'est pas ce que tu semblais dire, l'autre jour, a-t-il objecté à Sammy. J'ai cru comprendre que tu étais plutôt du genre fataliste.

Elle a croisé les bras.

— Dans certains cas, c'est vrai. Quoi qu'il en soit, j'ai peut-être abandonné ma disserte de français hier soir pour regarder *Eternal Sunshine*...

— C'est vrai ? Tu as aimé ?

Elle a poussé un soupir et pincé les lèvres.

— Je n'aurais jamais dû mettre ta parole en doute, Gael Brennan.

Il a souri jusqu'aux oreilles

— Ça, c'est un film *exceptionnel*, non ?

— Carrément ! La scène où il pleut dans le salon, par exemple, et celle où ils entrent dans la maison, et quand il redevient petit, et les répliques de Clémentine !

Elle s'est interrompue pour reprendre son souffle.

— Je n'aurais jamais dû le sous-estimer.

— Que veux-tu ? J'ai bon goût, a répliqué Gael en haussant les épaules.

— C'est vrai. Je suis censée voir *Dans la peau de John Malkovich*, maintenant, j'imagine ?

— Absolument. Et me donner ton avis, ensuite.

Sa mère est arrivée à ce moment-là.

— Maman, maman ! a crié Piper en se précipitant vers elle. J'ai appris plein de choses sur Marie-Antoinette !

Sa mère s'est penchée pour l'embrasser et, quand elle s'est redressée, elle a regardé Sammy et Gael d'un air un peu surpris.

Sammy s'est levée.

— Bonsoir, Mrs Brennan. Bon, je vais y aller. Gael, tu ne devais pas me montrer un truc, dehors ?

211

— Hein ? a dit Gael avant de remarquer l'œil légèrement consterné de Sammy. Oh ! oui, s'est-il repris en
se levant subitement, *ce* truc !

Il a vu sa mère et sa sœur échanger un petit sourire,
mais il ne s'y est pas arrêté.

Il a suivi Sammy dans l'entrée.

Elle portait une grande chemise, un short par-dessus
des collants noirs, des bottes rouges à lacets, et ce qui
ressemblait à un sac à dos datant de l'époque étudiante
de son père. Anika aurait été horrifiée par son style dépa-
reillé, Cara se serait probablement demandé comment on
pouvait marcher avec autre chose que des Birkenstock,
mais lui, il trouvait sa tenue sympa.

Il a refermé la porte et Sammy s'est tournée vers lui.

Son ombre à paupières était de la même couleur que
le ciel dans le soleil couchant.

Elle a levé les yeux en triturant l'ourlet de son short.

— Excuse-moi de t'avoir obligé à me suivre comme ça.

Elle a eu un rire embarrassé.

— Je ne voulais pas te parler devant la délégation
Brennan.

Il a attendu la suite, intrigué.

— Je me sens encore gênée de t'avoir menti. Je ne
voudrais pas que tu me prennes pour une mytho qui se
raconte des histoires.

— Ce n'est pas le cas, l'a-t-il coupée. Et si quelqu'un
se raconte des histoires, c'est moi. Tu as vu comment
j'étais la semaine où Anika m'a plaqué.

— Moi, ça m'a pris plus d'une semaine, a-t-elle répliqué
en souriant. Mais bon, puisque tu ne me prends pas pour
une folle, je me demandais si tu ne voudrais pas aller voir
le nouveau Wes Anderson, ce week-end ? Comme tu

l'auras déjà compris, je ne suis pas contre l'enrichissement de mes goûts cinématographiques, et je te dois un film de ton choix, même si ce n'est pas ma tasse de thé...

(Sammy ayant tourné les yeux sur un défaut de la façade, elle n'a pas vu les sentiments qui traversaient le visage de Gael tandis qu'elle s'exprimait. Elle n'a pas vu, contrairement à moi, son regard s'éclairer quand elle l'a invité au cinéma, puis s'assombrir dès qu'elle a mentionné le film. Le temps qu'elle se décide à reposer les yeux sur lui, elle n'a pu voir que la mine bourrue de quelqu'un de contrarié.)

— Tu n'es pas obligé, s'est-elle aussitôt rétractée. De toute façon, je vais probablement détester le film !

— Non, a-t-il dit, j'aimerais bien t'accompagner, mais... j'ai déjà invité Cara à venir le voir, vendredi.

— Oh, oui, bien sûr ! Quelle idiote !

Elle a secoué la tête en riant un peu trop fort.

— J'avais oublié que vous sortiez ensemble...

— Non, pas vraiment...

— Et que le vendredi soir est une date stratégique. Je suis hors jeu depuis trop longtemps !

— Ce n'est pas ce que...

Sammy ne l'a pas laissé terminer.

— Je dois vraiment partir, je n'ai pas fini ma disserte de français.

Elle est partie presque en courant, le laissant sur son perron, les bras ballants et l'air ahuri.

Il se sentait passablement stupide, mais il n'a pas eu le temps d'analyser ce qui venait de se produire, parce que, derrière la porte, sa mère et sa sœur l'attendaient avec impatience.

— Alors ? lui a demandé sa mère.

— Alors quoi ?

Piper l'a dévisagé en tortillant des épaules et en battant exagérément des cils.

— Oh, Gael, a-t-elle minaudé, tu ne devais pas me montrer quelque chose, dehors ?

Elles ont gloussé, et il a soupiré.

— Je ne vois pas de quoi vous parlez.

— Ah bon ? a dit sa mère. Alors qu'est-ce que tu lui as montré ?

— Rien du tout, a-t-il lâché en passant devant elles.

Il n'avait aucune envie de parler de Sammy avec elles. Sa vie privée ne les regardait pas. Il ne voulait pas la voir étalée en public. Il suffisait de regarder sa mère : il n'y avait rien entre Sammy et lui, et elle était *déjà* hystérique ! Qu'est-ce que ce serait s'il y avait quelque chose ? Il préférait ne pas l'imaginer.

D'accord, mettons qu'il l'imagine. Mettons qu'il se passe quelque chose entre Sammy et lui…

Et si l'affaire tournait court, hein ? Ce serait un désastre, il en était certain.

Il n'avait qu'à se rappeler l'affection de sa mère pour Anika. Il n'y aurait jamais eu d'apparition surprise à son anniversaire s'il avait cloisonné correctement sa vie.

Avec Cara, au moins, il était à l'abri. Ses parents ne connaissaient même pas son nom et encore moins son existence.

Finalement, il avait bien raison d'aller au cinéma avec elle.

41.

À côté de la plaque
– deuxième partie

— Tu fais quelque chose, ce soir ? lui a demandé Danny, vendredi, à la cafète.

Gael s'est presque étranglé avec son sandwich. Depuis l'Ultime Trahison, la bande ne l'invitait plus nulle part.

Jenna n'a pas attendu sa réponse pour enchaîner :

— On va à une fête chez Amberleigh. Apparemment, on est devenus fréquentables, maintenant – elle a levé les yeux au ciel –, mais bon, elle a une maison géniale et ses parents sont super cool.

Elle a levé la main pour couper court à toute objection :

— T'inquiète, Anika et Mason ne viennent pas.

Il a avalé sa bouchée et bu une gorgée d'eau.

— Je ne peux pas. J'ai, heu... un truc.

Leur regard stupéfait avait quelque chose de vexant.

— J'ai d'autres amis, vous savez.

Ils ont éclaté de rire.

— C'est vrai, s'est-il récrié.

— Je sais, a répondu Danny. C'est la façon dont tu l'as dit qui est tordante. Bon, tu fais quoi, alors ?

Comme il ne disait rien, Jenna a eu un petit sourire en coin et s'est tournée vers Danny.

— Il sort avec une fille, a-t-elle déclaré, radieuse.

— Je ne vois pas ce qui te permet...

Elle l'a interrompu en comptant sur ses doigts :

— D'abord, tu viens de rougir, ensuite tu fais des mystères sur tes soi-disant plans, et enfin, pardon de te décevoir, mais on connaît tous tes amis.

— Attends..., a dit Danny. Ce n'est pas la baby-sitter de ta petite sœur, par hasard ?

Cette fois, Gael s'est vraiment étranglé.

(Et je n'étais pour rien dans ce qui venait d'être avancé.)

Danny lui a tapé dans le dos, mais Gael a levé la main pour l'arrêter.

— Ça va.

Il a bu le reste de son eau.

— D'où tu sors un truc pareil ? a-t-il voulu savoir.

— Mason raconte qu'elle est super canon, a répondu Danny.

Jenna lui a tapé le bras.

— Ben quoi ?

— Tu parles de filles canon avec tes copains, maintenant ?

— Parce que je n'ai même plus le droit de parler de filles, maintenant ?

— Eh, du calme, les a coupés Gael. De toute façon, ce n'est pas elle. C'est la fille que j'ai croisée le jour de mon anniversaire. Elle s'appelle Cara, et je ne sors pas avec elle, d'accord ? On est amis.

— Si tu le dis, a lâché Jenna avec un sourire entendu.

Gael a soupiré.

Ils étaient *seulement* amis, même s'ils risquaient de ne plus l'être très longtemps. Le mois de novembre débutait dans moins d'une semaine et il s'en réjouissait parce qu'il appréciait vraiment Cara. Elle était cool, mignonne, étudiante, et elle semblait le trouver lui aussi assez cool pour passer du temps avec lui.

C'était la fille parfaite.

Exactement ce qu'il lui fallait.

— Ça nous fait plaisir, a dit Jenna sincèrement. On est heureux pour toi.

Lui aussi, il était heureux.

Complètement heureux.

Béatement, même.

Et leur soirée au cinéma allait être géniale.

42.

Qu'est-ce que
Wes Anderson ferait ?

L e film était bon. Très bon. Du même niveau que
Rushmore et *The Grand Budapest Hotel*.
Et leur rendez-vous, quelle que soit sa nature,
n'était pas mal non plus.

Ils avaient beau ne pas s'être vus depuis dimanche,
Gael avait l'impression que tout était reparti comme au
premier jour. Il se disait que Cara avait peut-être vraiment
eu un exposé de dernière minute, qu'elle tenait peut-être
vraiment à respecter son vœu et qu'elle était vraiment
disposée à lui donner sa chance.

Tandis que les couleurs lumineuses défilaient sur
l'écran au rythme d'une bande-son entraînante, il se
sentait à l'aise, détendu et confiant. Traitez-le d'imbécile heureux, mais il était quasiment sûr que Cara était
attirée par lui.

Quelques indices étayaient son hypothèse :

Premièrement, quand elle était montée dans sa voiture,
elle s'était penchée vers lui pour l'embrasser sur la joue.
On n'embrassait pas n'importe qui comme ça. Et elle ne
jouait pas les Françaises, comme Sammy.

Deuxièmement, contrairement aux sièges étroits et compartimentés de la petite salle du Varsity, les sièges de cette salle-ci étaient larges et équipés d'accoudoirs qu'on pouvait relever pour s'embrasser tranquillement (ce qu'il avait fait plus d'une fois avec Anika). Quoi qu'il en soit, l'accoudoir était relevé quand ils se sont assis, et quand Gael a tendu la main pour le baisser, elle l'a arrêté en disant qu'ils seraient plus à l'aise.

Troisièmement, pendant qu'ils faisaient la queue pour acheter leurs billets, Cara a suggéré qu'ils partagent un grand Coca. Économiquement parlant, c'était bien vu ; mais, d'un point de vue sentimental, c'était révélateur, non ? Si, évidemment. Il n'aurait jamais imaginé partager un Coca avec Mason. La seule personne avec laquelle il avait fait Coca commun, c'était Anika – et Piper, bien sûr, mais elle ne comptait pas, puisque c'était sa petite sœur.

Enfin, depuis que le film avait commencé, Cara n'avait cessé de se rapprocher. Au début, elle était toute timide, tournée de l'autre côté, le menton posé sur sa main. Puis, peu à peu, elle avait tourné les genoux et ses pieds avaient suivi pour s'arrêter à quelques centimètres des siens. Ensuite, il ne savait même pas comment elle s'y était prise, mais tout à coup, sa cuisse frôlait la sienne. Ils étaient tous les deux en jean, alors elle ne s'en était peut-être pas rendu compte.

D'un autre côté, elle pouvait très bien le sentir.

Leurs bras, qui ne se touchaient pas encore, semblaient glisser l'un vers l'autre, comme animés de leur propre volonté.

Une scène de poursuite a commencé, et Gael s'est demandé à quoi ressemblerait un film sur sa vie. Par quoi commencerait-il ? Par la scène de l'Ultime Trahison ou par celle de sa rencontre avec Cara ?

Cara, son insouciante et adorable partenaire à l'écran.

Cara avec qui il avait vécu une parfaite Rencontre de Cinéma.

Voilà qu'il se mettait à raisonner comme dans une comédie sentimentale à cause de Sammy !

Il s'est concentré. Si c'était un film de Wes Anderson, comment se déroulerait-il ?

Wes ne le laisserait certainement pas passer à côté d'une jolie fille exubérante, voleuse de sauce pimentée, experte en randonnée, drôle et globalement géniale, hein ? Surtout au seul prétexte qu'il n'était pas certain, à cent pour cent, qu'elle était faite pour lui. C'était débile.

Qui prétendait, d'abord, qu'il devait être sûr à cent pour cent ? Il avait bien cru l'être, avec Anika, et voilà le résultat. L'amour ne demande-t-il pas de faire des plongeons, parfois ?

(Bien sûr que si. J'en demande, des plongeons, des sauts dans le vide, des bonds dans l'inconnu. Mais soyons francs, et un petit peu sérieux : vous n'êtes pas *du tout* censé plonger quand vous n'êtes pas plus mordu que ça de la personne pour laquelle vous voulez le faire !)

Gael s'est penché légèrement, laissant son coude effleurer celui de Cara.

Il ne pouvait pourtant pas s'empêcher de penser à ce que Sammy dirait – Wes Anderson était *tellement prévisible*. Il la voyait lever les yeux au ciel, une main sur la hanche, comme chaque fois qu'elle voulait bien se faire comprendre.

C'était exactement pour ça qu'il était heureux d'être ici avec Cara, a-t-il conclu.

Il s'est tourné vers elle.

Elle n'était peut-être pas fan de ciné mais, au moins, elle ne risquait pas de le mettre en miettes.

43.

Feu rouge, feu vert

Dans la voiture, sur le chemin du retour, Gael n'arrêtait pas de parler du film.

— Franchement, c'était génial, a-t-il répété pour la troisième fois. Qu'est-ce que tu en as pensé ? Ça vaut James Cameron, non ?

— Rien ne vaut Cameron, a répliqué Cara.

Il a ri, mais avec une petite grimace intérieure, parce qu'il savait qu'elle était, au moins en partie, sérieuse.

— D'accord, Cameron mis à part, tu en as pensé quoi ?

— Franchement ? C'était plutôt bizarre.

— Oui, bien sûr. Wes *a* un univers bizarre. Mais est-ce que tu as aimé le film ?

Elle a haussé les épaules.

— Ce qui était bien, c'était surtout d'être avec toi.

Il s'est presque étranglé.

— Tu veux dire que tu n'as pas aimé le film *du tout* ?

Elle a réfléchi un moment en se mordillant les lèvres.

— La fille avait des fringues sympas, a-t-elle fini par dire.

Il a tourné à gauche dans Franklin Street et décidé de changer de tactique.

— D'accord, dis-moi plutôt ce que tu n'as pas aimé.

Elle a regardé par la fenêtre, ouvert et fermé les conduits d'aération et soupiré.

— Je te l'ai dit, j'ai trouvé ça bizarre.

— C'est tout ?

Elle a lâché le réglage de la température pour se tourner vers lui.

— Oui, c'est tout. Et on peut changer de sujet, s'il te plaît ?

Il a opiné en essayant de masquer sa déception. Il s'était douté qu'elle n'aimerait pas le film autant que lui ; il savait aussi qu'elle ne le disséquerait pas comme Sammy pouvait le faire, mais il avait espéré qu'elle ferait au moins un commentaire un peu élaboré.

(Je l'ai regardé agir comme n'importe quel Romantique à sa place : il a ignoré sa déception. Cara, de son côté, en bonne Monogame en série qu'elle était, a réprimé sa frustration.)

— On va manger un truc ? a-t-il proposé. Chez Spanky, ça te tente ?

— J'adore Spanky !

Ils avaient au moins ça en commun, s'est-il dit.

Son soulagement était tout de même un peu trop fort.

★

Ils se sont garés derrière Cosmic.

Gael a regardé l'heure en remontant l'allée qui longeait le boui-boui mexicain. Spanky fermait dans peu de temps.

— S'il est trop tard pour avoir une table, on pourra toujours prendre des nachos, a-t-il dit.

— Oui, a répondu Cara en souriant. On pourra toujours prendre des nachos.

Il a éclaté de rire.

— On dirait Rick, dans *Casablanca* !

Elle l'a regardé sans comprendre.

— Un film. Laisse tomber.

Ils allaient traverser lorsqu'un cycliste, surgissant de nulle part, a brûlé le feu rouge sous leur nez. Instinctivement, Gael a tiré Cara contre lui.

(Je m'en suis voulu de ne pas avoir vu venir l'incident, j'aurais pu éviter la scène suivante, très contrariante – et d'une banalité affligeante.)

— Fais attention, a dit Gael. Les cyclistes sont dangereux dans la région.

— C'est vrai, a répondu Cara en le regardant d'un air amusé. Qui sait, tu pourrais te faire renverser par une fille qui voudrait éviter un pauvre petit chat égaré.

Il a éclaté de rire.

— Tu ne fais rien comme les autres, hein ?

— Tu trouves ? a-t-elle répliqué en ralentissant pour mieux le regarder.

— Renverser les gens dans la rue n'est pas une façon très banale de se faire des amis.

— Oui, peut-être, a-t-elle admis sans baisser les yeux.

C'est lui qui a détourné le regard, parce qu'ils étaient dans les bras l'un de l'autre et qu'on était encore au mois d'octobre.

— Allons voir s'il y a de la place chez Spanky, a-t-il dit.

La salle était presque pleine. Quelques tables semblaient sur le point de se libérer et une bande d'étudiants était installée au bar, les filles en talons aiguilles et les garçons plutôt débraillés.

— Vous servez encore ? a demandé Gael à la serveuse.

— Oui, lui a-t-elle répondu. Suivez-moi.

Elle les a installés à l'étage, près de la grande fenêtre qui surplombait Franklin Street.

Gael a repoussé le menu.

— Inutile, a-t-il dit, je sais ce qu'ils servent, c'est mon restau préféré.

— Je sais, a répondu Cara. Tu me l'as dit, le soir où on s'est rencontrés.

Gael a souri. Après tout, il n'était peut-être pas le seul à être tombé sous le charme, ce soir-là.

— Je ne sais pas comment tu t'y prends, Cara Thompson, mais avec toi, on se sent vraiment important.

C'était un commentaire absurde – elle a éclaté de rire et lui aussi –, mais le sentiment qu'il éprouvait n'en était pas moins réel.

★

Ce n'était pas pour rien que la table qu'ils occupaient était la préférée de Gael. Elle offrait une vue imprenable sur la rue animée et sur les feux de circulation suspendus au carrefour entre Franklin et Colombia. Il avait toujours adoré les regarder.

— C'est fou comme ces feux ont l'air énormes vus de près, tu ne trouves pas ? a-t-il demandé à Cara.

(J'ai profité de la question pour rappeler à Cara qu'elle n'aimait pas cette manie, qu'elle avait eue dans le passé, d'approuver tout ce que disaient ses petits copains.)

Elle s'est essuyé les lèvres avant de répondre :

— Je ne les trouve pas si gros que ça.

Gael a soupiré. Ils étaient gros, très gros, et il adorait se sentir tout petit à côté d'eux. Il s'est brièvement demandé ce que Sammy aurait répondu, mais il a vite écarté cette réflexion.

— Tu as quelque chose, là, a-t-il dit à Cara en touchant le coin de sa propre bouche.

Elle a repris sa serviette pour s'essuyer.

— De l'autre côté.

Nouvelle tentative.

— Un tout petit peu plus bas.

— Tiens ! s'est-elle exclamée en lui donnant sa serviette. Tu n'as qu'à le faire !

Du coin de l'œil, alors qu'il se penchait en avant pour essuyer la minuscule goutte de sauce juste en dessous de la lèvre inférieure de Cara, il a vu le feu passer au vert.

(Leur dîner tournait à la parodie de comédie romantique. Je devais y mettre un terme.)

Le feu passait au rouge quand il lui a rendu sa serviette.

Il avait commandé un steak sandwich, le meilleur choix de la carte ; en dépit de son insistance, Cara avait opté pour des pâtes qu'elle mangeait lentement.

— Tu n'aimes pas ? lui a demandé Gael.

Elle a haussé les épaules.

— C'est fade.

(J'avoue avoir distrait le chef au moment de l'assaisonnement. Il n'y a pas de petites victoires, n'est-ce pas ?)

— Je t'avais dit de prendre le steak sandwich, a marmonné Gael dans sa barbe.

— Quoi ?

— Rien.

Il a posé les yeux sur les feux et tenté de rassembler ses pensées. S'ils avaient été dans un film (pas un film de Wes Anderson, parce que Wes aurait trouvé l'idée ultra banale, mais dans un film qu'aimait Sammy), l'énorme feu tricolore aurait symbolisé leur relation. Vert, on y va. Rouge, on s'arrête. Vert, on repart. Rouge…

Il devait arrêter de voir le monde et la vie comme un film.

Le feu est repassé au vert, et il est revenu à Cara, qui buvait son thé glacé à grand bruit, comme si sa vie en dépendait. Sans doute parce qu'elle n'aimait pas ses pâtes. Par certains côtés, elle était parfaite. Qu'est-ce que ça pouvait faire qu'elle n'aime pas les bons films ? Qu'elle ne comprenne pas qu'il n'y avait qu'un seul et unique plat qu'il ne fallait pas rater chez Spanky ? Qu'il lui manque une sérieuse dose d'émerveillement devant les feux tricolores suspendus – ce qui était très étrange de la part de quelqu'un qui portait des T-shirts bariolés ? Est-ce que c'était si grave ?

Il pensait à ce que Sammy lui avait dit : qu'ils sortaient chacun d'une histoire, qu'il ne fallait pas se précipiter.

Le feu est passé à l'orange, et Gael a surpris les bribes de la conversation des deux filles à la table voisine ; l'une d'elles parlait d'une copine « incapable de rester seule » et qui faisait toujours la même chose, à savoir : « se jeter sur le premier type qu'elle bouscule dans la rue », ce qui résonnait de façon particulièrement frappante à ses oreilles. La chanson qui passait était, elle aussi, saisissante d'ironie : « Fools Rush In », un standard de Frank Sinatra, repris par Elvis Presley – et bien d'autres après lui –, selon lequel seuls les imbéciles se précipitent, cœur en avant et tête baissée, dans les bras de l'amour.

Quoi qu'il en soit, Gael craignait de s'aventurer en terre inconnue. Il redoutait de se tromper.

Il se demandait ce qui se passerait s'il sortait avec Cara. S'il souffrirait encore.

Le feu est passé au rouge.

(Je l'ai aidé, gentiment, à poser la question qu'il avait en tête.)

— Tu as encore des contacts avec ton ex ?

Cara, prise de court, s'est étranglée avec son thé, mais elle s'est vite reprise.

— Non. Pourquoi ?

— Je me posais la question, c'est tout. Ça fait peu de temps que vous êtes séparés, n'est-ce pas ?

— Deux semaines avant que je te rencontre.

— Tu as toujours des sentiments pour lui ? Depuis combien de temps vous étiez ensemble ?

— Quatre mois, a-t-elle répondu.

Il avait développé des sentiments très profonds en beaucoup moins de temps.

Elle a eu l'air de sentir son hésitation devant la brièveté de ses réponses.

— Et pour répondre à ta question, a-t-elle repris, non, je n'ai plus de sentiments pour lui.

Il a opiné en baissant les yeux sur son assiette presque vide.

— Eh ! a-t-elle dit.

Il a pris une frite et l'a mangée rapidement.

— Eh ! a-t-elle répété.

Il a levé la tête.

Elle l'a regardé droit dans les yeux en lui disant :

— Tu n'as aucun souci à te faire à son sujet.

Au même instant, le feu est passé au vert.

44.

Coup de main extraordinaire

Tandis qu'ils prenaient leurs manteaux, Gael a reconnu une voix qu'il aurait identifiée entre mille.

— Mais c'est écrit que c'est ouvert jusqu'à dix heures ! Là, sur la porte.

Il s'est tourné pour voir Anika, en compagnie de Mason, sur le seuil du restaurant.

— On ne sert plus à table après neuf heures trente, d'accord ? a rétorqué la serveuse.

Anika a soupiré.

— Et si on promet de faire vite ?

Il avait toujours été impressionné par le culot d'Anika ; cette fois pourtant, il lui semblait grossier et déplaisant.

(Voilà ce qui se passe quand on hisse quelqu'un en haut d'un piédestal. Plus il est élevé, plus la chute est brutale.)

— Laisse tomber, a dit Mason. On va aller ailleurs.

Cara s'est tournée vers Gael avec une grimace qui traduisait exactement sa pensée : *Pour qui se prend-elle, celle-là ? Elle ne peut pas se pousser pour nous laisser sortir ?*

À l'instant où il allait la prendre à l'écart pour lui expliquer la situation, Anika a croisé son regard.

— Oh, a-t-elle lâché.

Mason, intrigué par sa surprise, a tourné la tête lui aussi.

Pendant une seconde, ils se sont dévisagés tous les quatre, et Gael, sans réfléchir, a *agrippé* la main de Cara.

Le regard d'Anika s'est rétréci sur eux, tandis qu'un grand sourire s'affichait sur le visage de Mason.

— Je ne vais pas vous installer, a dit la serveuse, ignorant ce qui se passait autour d'elle.

— On a compris, a rétorqué Anika en tournant les talons.

Avant de disparaître à son tour, Mason a adressé un clin d'œil ravi à Gael.

C'est à ce moment-là, tandis qu'il regardait la porte du restaurant se fermer, que Gael s'est aperçu de la raideur de Cara. Il lui a lâché la main.

Quand ils sont sortis, heureusement, Anika et Mason étaient déjà loin.

Cara s'est tournée vers lui en croisant les bras.

— Tu peux me dire ce qui vient de se passer ?

— Je suis désolé. Je n'aurais pas dû te prendre la main. C'était mon ex. J'imagine que je voulais lui donner une leçon en lui montrant que j'avais trouvé quelqu'un de super cool.

(Voilà ce que j'ai murmuré à l'oreille de Cara : *Comment ose-t-il se servir de toi pour la rendre jalouse ? Jette-le. Il ne te mérite pas.* Mais ça n'a pas marché, parce qu'elle avait fait exactement la même chose pendant le match de basket.)

— Ne t'avise pas de recommencer, a-t-elle dit fermement. Il ne se passera rien avant le mois de novembre, et s'il se passe quelque chose, ce n'est *pas* pour rendre un ex jaloux, d'accord ?

— D'accord, a répliqué Gael vigoureusement.

Elle a souri.

(Cara était d'une nature conciliante, c'était l'une de ses plus belles qualités. N'empêche, à ce moment-là, j'ai sérieusement pesté contre elle.)

— Très bien, a-t-elle dit. Je ferais mieux d'aller me coucher, maintenant. Je vais rentrer à pied.

Elle a levé la main.

— Ne proteste pas.

— Tu es sûre ? lui a tout de même demandé Gael.

— J'ai dit « ne proteste pas ».

— D'accord, a-t-il cédé.

— Mais si tu es dans les parages pour Halloween, on peut aller à la parade ensemble. Je n'ai jamais vu le défilé sur Franklin, il paraît qu'il vaut le détour. Ça te tente ?

Gael a hésité. Halloween se passait la dernière nuit du mois d'octobre. Ça risquait d'être leur premier vrai rendez-vous.

Il s'est aussitôt reproché son hésitation. Qu'est-ce qu'il attendait ? Un genre de miracle, une révélation ?

Un sourire s'est dessiné sur ses lèvres.

— Bien sûr, a-t-il répondu.

45.

Conseil d'ami
(version paternelle)

G ael est arrivé chez son père, juste après dix heures. Il venait à peine de fermer la porte que celui-ci lui sautait dessus.

— Alors, ce film ?

Gael a jeté ses clefs sur le meuble de l'entrée.

— Bien. Piper est debout ?

— Non, elle est allée se coucher tout de suite après dîner. Elle a mangé comme un ogre. J'ai fait du rôti braisé.

— Super, a dit Gael d'un ton grinçant. Dommage que je l'aie loupé.

Il est passé devant son père pour lâcher sa veste sur une des chaises pourries de la salle à manger.

Son père l'a suivi – il ne pouvait pas faire grand-chose d'autre, vu l'exiguïté de l'appartement. La télé était allumée sur un documentaire historique ; le commentateur avait l'air de chuchoter tellement le son était bas.

— Tu sais que c'est la deuxième fois que tu ne dînes pas avec nous, le vendredi ?

Gael s'est tourné vers son père.

— C'est un problème ? Ça ne t'a pas dérangé, la semaine dernière.

— Ce n'est pas un problème *en soi*. Mais est-ce que ça va devenir une habitude ?

— Je ne sais pas. Excuse-moi, mais je n'ai pas encore l'habitude de vivre entre deux maisons.

Son père est allé prendre la télécommande pour éteindre la télé.

— Tout ce qui concerne ta mère et moi va devenir sujet à dispute, maintenant ?

— À ton avis ?

Il savait qu'il se montrait particulièrement pénible, mais il s'en fichait.

(Avant que Gael ne commence à trop vous agacer, laissez-moi vous dire que vous n'avez aucune idée, à moins de l'avoir vécu, du déchirement que représente un divorce. Le cœur traverse un chagrin terrible, tandis que la tête voit bien que personne n'est mort et que la vie continue. C'est un processus de deuil extrêmement particulier qu'on ne doit pas prendre à la légère. En l'occurrence, je me gardais bien de le faire...)

— D'accord, a repris son père. Mais si tu as l'intention de dîner tout le temps ailleurs, dis-moi au moins avec qui tu sors.

Gael a haussé les épaules.

— Qu'est-ce que ça peut te faire ?

— C'est une fille ? l'a taquiné son père.

Il a senti ses joues s'enflammer.

— Je le savais ! s'est exclamé son père en s'asseyant dans le canapé. Tu as peur d'aller trop vite, c'est ça ? Tu as l'air nerveux.

Gael a serré les dents en maudissant son père d'être aussi perspicace. Il ne pouvait pas être comme les autres, s'intéresser au sport ou aux voitures, au lieu de discuter sentiments ? Le père de Mason l'avait emmené chez Hooters[1] pour ses seize ans. Le sien lui avait offert un livre du Dalaï-Lama sur l'art d'être heureux et un autre sur le développement personnel, la recherche d'emploi et les orientations de carrière, spécial ados.

(En vérité, Gael avait toujours apprécié cette qualité chez son père. À l'anniversaire de Mason, il s'était senti mal à l'aise au milieu des serveuses aguichantes que le père de Mason draguait ouvertement. Mais il était compréhensible qu'il ne se souvienne pas de ces détails, *maintenant*.)

— Je n'ai pas besoin de conseils. Surtout de *ta* part.

Son père a eu l'air surpris mais il s'est ressaisi, s'est installé plus confortablement dans le canapé et a enchaîné :

— Je sais ce que tu éprouves, Gael. Les filles, l'amour, les doutes, tout ça... Quand j'ai connu ta mère, je n'arrivais pas à penser à autre chose. Elle était tellement intelligente, vive, maligne, et sa façon de me défier ! En philo, nous étions les deux élèves les plus passionnés...

— Je sais, l'a coupé Gael, les joues rouges de colère. J'ai entendu cette histoire des millions de fois. Maman a levé la main pour parler, et tu l'as interrompue au beau milieu de sa démonstration. Vous vous êtes lancés dans un débat philosophique hyper pointu, poussés par les encouragements du prof, et à partir de ce jour-là, vous

1. Hooters est une chaîne de restaurants américaine, essentiellement courue par les hommes, à cause de l'uniforme de ses serveuses, vêtues de minishorts et T-shirts échancrés. NdT.

vous êtes assis côte à côte à chaque cours. Je connais la suite, merci.

Il connaissait, en effet, la suite – il avait entendu cette histoire des centaines de fois –, mais ce n'était plus le même agacement qu'elle lui inspirait, parce que, aujourd'hui, la suite en question avait tourné court.

— Je voulais seulement t'aider, a dit son père, l'air désolé.

— Parce que tu crois que vous êtes un exemple, toi et maman ?

Il a pouffé, plein d'une colère qu'il ne pouvait plus contenir.

— Regarde où ça vous a menés !

Il a disparu dans sa chambre, qui n'était qu'à trois mètres du salon, sans même avoir le plaisir de claquer sa porte parce qu'il ne voulait pas réveiller Piper.

Il détestait cet appartement. Il détestait ses parents.

Et il détestait encore plus son père, qui jouait les innocents comme si *tout* n'était pas de sa faute !

46.

Comment les parents de Gael se sont réellement rencontrés

Il me semble important de clarifier, ici, deux ou trois choses.

Je m'éloigne un peu du sujet, mais je tiens à préciser que si l'intervention du père de Gael était justifiée – tout comme son désir de venir en aide à son fils –, lui raconter l'histoire de sa rencontre avec sa mère, si tôt après leur séparation, était non seulement un peu maladroit, mais en plus sa version de « quand Arthur rencontre Angela » n'était pas tout à fait exacte.

Remplaçons l'amphi de philo par un boui-boui miteux, pas très loin du campus.

Angela était avec une amie, qui s'intéressait de près au colocataire d'Arthur. Après que ledit colocataire avait apporté leurs verres de tequila à la petite bande, Angela et Arthur se sont rendu compte qu'ils étaient, en effet, dans le même cours de philosophie, mais ils ne s'étaient jamais assis côte à côte et avaient encore moins débattu ensemble.

Pendant que leurs amis respectifs s'employaient, autour du billard, à faire plus ample connaissance, Arthur a

commandé deux shots de tequila supplémentaires. C'est
à partir de là que la soirée a commencé à... évoluer.

Angela, à un moment donné, a glissé de son tabouret, et Arthur l'a rattrapée. Sa galanterie n'a toutefois eu
aucun effet sur l'ire d'Angela qui, trois secondes plus
tard, hurlait :

— *Évidemment* que Nietzsche était un misogyne !

Et, trois secondes après :

— Si tu en doutes, c'est peut-être parce que *tu* es
misogyne !

Après quoi, elle l'a défié au billard, pour l'écraser
complètement malgré ses gestes très approximatifs et des
tirs obligeant leurs amis à se mettre prudemment à l'écart
chaque fois qu'elle visait.

Enthousiasmé par sa supériorité, et décidé à célébrer
dignement sa défaite, Arthur a commandé une nouvelle
tournée de tequila. Tandis qu'Angela enchaînait sur
Kierkegaard, il est monté sur un tabouret pour crier :

— Søren Kierkegaard est le pire philosophe de tous
les temps !

Les autres clients ont commencé à se plaindre des
« fous furieux qui les saoulaient avec leurs philosophes ».

C'est le patron, et non leur professeur, qui leur a dit
alors :

— Vous êtes les étudiants de philo les plus passionnés
que j'aie jamais vus. Maintenant, partez !

Je voulais seulement remettre les pendules à l'heure.

47.

Scream queen

Gael s'est réveillé au bruit des œufs crépitant dans la poêle et à l'odeur de bacon grillé.

Nouveau round de bonheur prétendument familial, s'est-il dit amèrement.

Il avait mal dormi. Il voulait accuser le matelas de la chambre de l'appartement de son père, qui n'était pas aussi bon que le sien, chez lui, mais il savait que c'était aussi à cause de son humeur massacrante de la veille. À qui la faute, hein ?

Il s'est levé pour enfiler son jean et un T-shirt.

Autre chose le contrariait. Un détail, mais qui comptait tout de même. Il avait envoyé un texto à Sammy, la veille, pour lui demander si elle était allée voir le film de Wes Anderson, mais elle n'avait pas répondu.

Il se demandait maintenant s'il ne l'avait pas vexée en refusant son invitation. Il avait peut-être gâché leur nouvelle amitié.

Et si ce n'était pas de l'amitié ? s'est-il aussi brièvement demandé. Si c'était autre chose…

L'odeur du bacon l'écœurait. Il a enfilé ses baskets et glissé son téléphone dans sa poche. Il avait besoin de prendre l'air.

— Tiens ! s'est exclamé joyeusement son père en le voyant passer devant la cuisine. On dirait que la faim sort le loup du bois !

— Où vas-tu ? lui a demandé Piper. Le petit déjeuner est presque prêt.

— Je vais marcher, a-t-il grommelé. Ne m'attendez pas.

Avant qu'ils puissent protester, il a ouvert la porte et l'a claquée derrière lui.

La résidence de son père était à la limite de Chapel Hill et de Durham, près d'une autoroute et d'un super-marché. Ce n'était pas comme *chez lui*, où il pouvait aller jusqu'à Franklin Street à pied, ou même sur le campus, s'il avait envie de se balader.

Ici, c'était la zone.

L'air frais lui faisait tout de même du bien.

Tandis qu'il traversait le parking, son regard est tombé sur l'autocollant COEXIST plaqué sur la vitre arrière de la voiture de son père.

Anika s'en était un jour moquée, en disant que c'étaient toujours les abrutis qui affichaient ce genre de stickers sur leurs voitures. Gael avait défendu son père.

Il se demandait maintenant si elle n'avait pas eu raison.

Il a continué le long du trottoir, entre le parking et une espèce de stupide esplanade paysagée. La pelouse avait l'air fausse et tous les immeubles se ressemblaient. Il préférait tout de même faire plusieurs tours de la résidence plutôt que rester cloîtré dans le minuscule appartement de son père.

Il avait parcouru une centaine de mètres quand un flyer orange fluo scotché sur un lampadaire a attiré son regard.

LE FILM D'HORREUR DES ANNÉES 20 JUSQU'À NOS JOURS
Analyse d'un genre – et d'une passion américaine
Lundi 29 octobre 19 h
Amphi Murphey

Une conférence sur les films d'horreur, s'est-il dit. Le genre préféré de Sammy. Et à la fac, en plus.

L'occasion idéale de se rattraper auprès d'elle. Parce qu'elle s'était montrée sympa avec lui, et qu'il tenait à son amitié.

Il a regardé autour de lui. C'était bizarre, ce flyer isolé, si loin du campus. À croire que quelqu'un l'avait mis exprès pour lui.

(Bizarre, en effet, Gael. Très, très bizarre… – *ici, quelques coups de coude imaginaires, mais insistants.*)

Il a sorti son téléphone et, sans plus s'interroger sur les curieux hasards de la vie, il a appelé Sammy Sutton.

48.

Cinquième heure de cours, troisième rang

L undi, Mason était encore en avance au cours de chimie, mais cette fois il n'avait pas de devoir avec lui. Il se balançait tranquillement sur sa chaise, les mains bien à plat sur la paillasse et l'air radieux.

Il s'est remis droit à l'instant où Gael posait son sac à dos.

— Alors ? lui a-t-il demandé en se penchant vers lui, l'œil pétillant.

Gael s'est senti rougir.

— Alors quoi ?

— Oh, ne fais pas l'innocent ! Tu sais très bien de quoi je parle. Vendredi ! Cette fille !

Gael a haussé les épaules.

— C'est une amie.

— C'est ça, s'est exclamé Mason en riant. Une amie avec qui tu dînes et que tu tiens par la main !

Gael a serré les dents. Si Mason continuait à parler aussi fort, toute la classe allait être au courant.

— Je l'ai rencontrée le soir de mon anniversaire, s'est-il résigné à répondre en baissant la voix. Mais il n'y a rien entre nous. Elle vient de rompre, elle aussi, et elle préfère qu'on reste amis jusqu'au mois de novembre.

— Le mois de novembre n'est plus très loin, a observé Mason.

Gael a soupiré.

— Je sais.

— Je suis content pour toi, vieux. Anika aussi, même si elle ne l'a pas franchement montré.

Il a eu l'air d'hésiter, mais Gael ne lui a pas posé de question. Il préférait ne pas parler d'Anika. En tout cas, pas trop.

— Quand même, a repris Mason tandis que leur professeur, Mrs Ellison, entrait dans la salle. Je ne sais pas pourquoi, mais je pensais que tu finirais avec Sammy.

Gael a recommencé à rougir.

Et, à la perspective de revoir Sammy ce soir-là, il a senti son cœur s'emballer légèrement.

Il aurait bien demandé à Mason ce qui lui faisait penser une chose pareille, mais le début du cours l'en a empêché. Il n'avait plus qu'à faire semblant de s'intéresser à la chimie, au lieu de spéculer sur les élucubrations de son voisin.

De toute façon, Sammy et lui étaient amis. Voilà.

Cette amitié l'enchantait.

Et même si ce n'était pas *exactement* ce qu'il voulait lui, il était sûr que c'était ce qu'elle voulait, elle.

49.

Ce ne serait pas un bon roman d'amour sans au moins une scène sous la pluie

L undi soir, Gael était donc assis sur un banc de bois inconfortable, dans un amphi poussiéreux, en train de regarder un extrait archi célèbre de *L'Exorciste* dans lequel l'ignoble démon crache un immonde vomi vert en s'efforçant de ne pas penser au commentaire désinvolte (ou clairvoyant ?) de Mason, pendant que Sammy, le dos bien droit, ne perdait pas une miette de la conférence.

Le professeur discourait sur l'absurde dans le cinéma d'horreur et l'apogée que constituaient en la matière les années 70 et le début des années 80, en faisant défiler des scènes de *Re-Animator*, d'un film psychédélique japonais intitulé *House* et, bien sûr, de *Poltergeist* (que Gael n'avait jamais trouvé effroyable).

Cet exposé aurait été passionnant si Gael n'avait pas passé son temps à se répéter que Mason pouvait raconter ce qu'il voulait, il était sur le point de sortir avec *Cara*. On était à deux jours d'Halloween, ce n'était plus le moment de s'interroger sur ses chances éventuelles avec la *baby-sitter* de sa petite sœur.

Baby-sitter qui était en outre devenue une amie.

Il avait déjà perdu une amie en sortant avec Anika, il ne voulait pas vivre la même chose avec Sammy.

Le professeur a conclu sur un dernier extrait de *Phantasm*, puis les lumières se sont allumées et la salle a commencé à se vider.

Sammy a ramassé son sac et l'a glissé sur son épaule. Elle portait une robe vintage à pois, des collants verts et un blouson en jean. Gael ne pouvait pas s'empêcher de la trouver super.

— C'était génial, non ? lui a-t-elle demandé. Je veux dire le lien entre le cinéma d'horreur des années 70 et l'expressionisme allemand. Ça semble tellement évident. Il faut absolument que je revoie ces films !

Très franchement, rien de tout cela ne semblait très évident à Gael, mais ça n'avait aucune importance : il adorait l'enthousiasme de Sammy pour des trucs aussi abscons d'initiés.

— C'était super, a-t-il dit en la suivant dans la cour intérieure du campus.

Les lampadaires diffusaient une étrange lueur. Il faisait frais et Gael a remonté la fermeture Éclair de son blouson. C'était un de ces soirs d'automne qui donnent un avant-goût de l'hiver qui va suivre.

Il s'est demandé où il en serait quand la neige commencerait à tomber. Sortirait-il pour de bon avec Cara ? Partageraient-ils des nachos en cherchant le film pas trop « bizarre » qu'ils pourraient voir ensemble ?

Une association d'étudiants chrétiens avait monté un stand de chocolats chauds. Sammy a couru vers eux et a pris deux gobelets. (J'avoue avoir poussé la responsable à installer sa table juste devant l'amphi Murphey.) Quand elle est revenue, elle avait les joues toutes roses et de la vapeur s'échappait des timbales de carton.

— Pour vous, mon bon monsieur, a-t-elle dit à Gael avec une petite révérence amusée.

— Merci, très chère, a-t-il répondu en s'inclinant à son tour avant de se tourner vers l'allée. Tu passes par quel chemin ?

Elle a regardé derrière eux.

— Ma résidence est par là, mais je vais t'accompagner jusqu'à Franklin. J'adore le campus, la nuit.

Ils se sont donc mis en route, marchant lentement pour ne pas renverser leurs chocolats brûlants.

— Alors, a repris Sammy, quel est ton film d'horreur préféré ?

— Facile, a répondu Gael, *Les Oiseaux*.

Ce film, en dépit de son association récente avec Anika, restait pour lui un chef-d'œuvre.

Sammy a fait la moue.

— Ce n'est pas *du tout* un film d'horreur.

— Bien sûr que si ! a protesté Gael.

Il a goûté son chocolat, mais il était encore trop chaud.

— Qu'est-ce que tu racontes ?

— Je raconte que personne ne meurt, a répondu Sammy. On ne peut pas parler de film d'horreur s'il n'y a pas au moins un mort !

— L'institutrice, alors ? Et le voisin ?

— D'accord, d'accord. Ton film *gore* préféré, alors. Avec un tueur qui n'est pas un pigeon !

Il s'agissait surtout de mouettes et de corbeaux, dans *Les Oiseaux*, mais il n'a pas relevé.

— *Psychose*, a-t-il répondu.

Elle a éclaté de rire.

— Tu ne connais pas autre chose qu'Alfred Hitchcock ?
Il faut élargir ton répertoire, mon ami !

Ils ont traversé Cameron Avenue, pour se retrouver
dans un endroit où il n'y avait plus qu'eux et la lune.

Gael a haussé les épaules.

— Qu'est-ce que tu veux ? C'est le meilleur.

— D'accord, a répondu Sammy, c'est le meilleur.
Mais dans ce cas-là, et si je te comprends bien, on ne
devrait plus que lire et relire, je ne sais pas, moi, *Guerre
et paix*, parce que *tous* les autres livres ne sont pas des
chefs-d'œuvre *absolus* ?

Il devait admettre qu'elle marquait un point.

— Est-ce que tu as vu *Vendredi 13*, au moins ? a-t-elle
repris.

— C'est celui avec Freddy Krueger, non ?

Elle s'est arrêtée si brusquement qu'un peu de chocolat
a débordé de son gobelet.

— Waouh ! Tu es peut-être fan de cinéma, mais côté
films d'horreur, tu repasseras. Le personnage de *Vendredi 13*,
c'est Jason. Freddy Krueger est celui de...

— *Halloween*, a-t-il tenté.

— N'importe quoi ! Freddy Krueger, c'est *Les Griffes
de la nuit* ! Un film fabuleux et, accessoirement, la première apparition de Johnny Depp au cinéma. Quant
au personnage d'*Halloween,* c'est Michael Myers. Tu as
vraiment besoin qu'on fasse ton éducation !

Et elle était le professeur idéal, s'est-il dit.

Avant de se raviser.

Ça ne marcherait pas. Quand il sortirait avec Cara,
il ne risquait pas de passer son temps au cinéma avec
Sammy. Ce serait, pour emprunter le vocabulaire courant
de Cara, *bizarre.*

Sammy s'est remise en route en buvant son chocolat.

— D'accord, a-t-il admis. Je ne suis pas au point sur ce que tu considères être les « vrais » films d'horreur, à savoir ceux dépourvus de scénario, mais bourrés de scènes gore qui n'arrivent pas à la cheville de la sublime scène de la douche dans *Psychose*.

Ils n'étaient plus très loin de Franklin Street et de son animation.

Sammy s'est tournée vers lui en souriant.

— Au moins, tu restes fidèle à ta passion.

— Hitchcock un jour, Hitchcock pour toujours, a-t-il dit en levant solennellement la main.

Ils ont éclaté de rire.

Au moment où ils débouchaient sur Franklin, une bande d'étudiants déguisés en policiers sexy et infirmières frivoles est passée bruyamment devant eux, sans doute en direction d'une fête d'Halloween anticipée.

— Qu'est-ce que tu fais pour Halloween ? lui a demandé Sammy.

Il a haussé les épaules.

— Pas grand-chose, sinon voir la parade avec Cara.

Elle a eu l'air un instant décontenancée et puis elle a souri.

— Ça devient sérieux, vous deux, hein ?

— Bah, je ne sais pas, a-t-il répondu sans enthousiasme. Disons qu'on apprend à se connaître.

Et tout à coup, il a eu une idée.

(D'accord, d'accord, je l'ai peut-être inspiré.)

— Tu veux venir avec nous ? C'est aussi ton amie, non ?

Sammy a réfléchi (je lui ai rappelé qu'elle n'avait rien de prévu ce soir-là et que ce serait plus sympa, de toute façon, de passer la soirée avec Gael. J'ai même fait briller les feux de circulation dans le regard de Gael, leur donnant un éclat auquel, je le savais, elle n'était pas insensible. Peine perdue, hélas. Sammy, comme je l'ai déjà mentionné, était une Cynique. Et elle avait une sacrée fierté.)

— Je suis prise, a-t-elle répondu en secouant la tête. Et je ne veux pas gâcher ton rendez-vous.

Gael allait lui dire que ce n'était pas un *rendez-vous* mais il s'est mis brusquement à pleuvoir. *Des cordes.*

(D'accord, c'était mon œuvre. Nous sommes dans un roman d'amour, après tout. Vous pouvez considérer que c'est un cliché, mais pour moi, c'est un classique.)

— Flûte ! a pesté Sammy tandis qu'ils couraient se réfugier sous un arbre.

La pluie a redoublé.

Gael a regardé Sammy, son visage et ses lunettes éclaboussés par la pluie, la mèche plaquée sur son front et, subitement, tout ce qu'il voulait, c'était graver cette image dans sa mémoire.

Leurs regards se sont croisés, et il aurait juré qu'elle pensait la même chose.

Elle avait la bouche très légèrement entrouverte, et il avait les nerfs à vif, comme s'il pouvait se produire quelque chose qui changerait *tout*.

Mais elle a pincé les lèvres et croisé les bras.

— Je ferais mieux d'y aller, a-t-elle dit.

— Tu ne veux pas attendre qu'il arrête un peu de pleuvoir ?

Elle a secoué la tête avec une rapidité qu'il a jugée des plus explicites : ce n'était pas parce qu'il avait envisagé la possibilité d'aller plus loin qu'elle était du même avis.

Elle s'est élancée, sans un mot de plus, en direction du campus.

Au même instant, la pluie s'est arrêtée. Alors Gael a quitté son arbre et traversé Franklin, en s'efforçant de ne pas être trop déçu.

Son chocolat était devenu froid.

50.

Programmation cinématographique de Gael avant et après Sammy

Avant :

2001 : L'Odyssée de l'espace
Alfred Hitchcock présente
Reservoir Dogs
Moonrise Kingdom
Breaking Bad : saisons 1-5

Après :

Quand Harry rencontre Sally
Vendredi 13
Happiness Therapy
Les Griffes de la nuit
Lovestruck

51.

Dans une chambre d'étudiant à Baltimore

M on job n'est pas très loin du jonglage. Il y a en permanence des millions de gens qui exigent mon attention. Je fais de mon mieux pour ne laisser tomber personne, mais je n'y arrive pas toujours. Je suis parfois si concentré sur quelqu'un qu'il m'arrive de perdre de vue, disons, le schéma d'ensemble.

Nous étions exactement dans ce cas de figure.

Tandis que Sammy, à Chapel Hill, fuyait la pluie battante et ses sentiments déroutants, son ex, John, agenouillé sur le sol poussiéreux de sa chambre dans le bâtiment Wolman de l'Université Johns-Hopkins à Baltimore, tentait de mettre un peu d'ordre dans le chaos qui régnait sous son lit.

John avait cru un jour que le prix exorbitant que payaient ses parents pour qu'il puisse étudier ici lui donnerait le droit d'avoir une chambre au moins potable. Or ce n'était pas le cas – et ce, en dépit de tous les aménagements qu'il avait faits avec son colocataire, Juan (oui, John et Juan étudiants à Johns-Hopkins, je n'y peux rien).

Ses doigts se sont arrêtés sur le couvercle d'une grande boîte. Il l'a ouverte pour en examiner le contenu : un fouillis de gadgets et de ficelles emmêlées que ses parents avaient jugé bon de rassembler pour lui.

— Qu'est-ce que tu cherches ? lui a demandé Juan en arrivant d'un pas traînant.

— Le toaster, a répondu John en posant la boîte sur son lit pour mieux l'explorer.

— Oh, merde ! a dit Juan. Je l'ai pris avec moi chez Cayden, cet après-midi, et j'ai oublié de le rapporter...

Mais John n'écoutait plus. Tout à coup, il se fichait bien de son toaster.

Dans la boîte, sous le manuel d'utilisation du toaster (encore enfermé dans sa pochette plastique), dépassait le coin d'un livre : *The Elements of Style*.

Il l'a sorti pour contempler, d'un air incrédule, l'aquarelle du basset aux oreilles tombantes et au regard vide ornant la couverture. *Qu'est-ce que ce bouquin fichait là ?* Il aurait juré l'avoir laissé exprès chez lui, pour faciliter sa rupture avec Sammy.

Il a relevé les yeux sur Juan, qui continuait de parler du toaster tout en ouvrant un paquet de chips.

— Laisse tomber, lui a dit John, ce n'est pas grave.

La découverte du livre le contrariait davantage ; il le tournait entre ses mains sans trop savoir qu'en faire.

— Ça va ? lui a demandé Juan. Tu as l'air bizarre.

John s'est contenté de regarder le livre sans rien dire.

Dans la précipitation du déménagement, sa mère avait dû le jeter dans ce carton sans réfléchir.

Durant tout l'été, il avait eu la ferme intention de rompre avec Sammy, intention d'autant plus ferme qu'il voyait les couples du lycée se briser les uns après les autres en perspective de la rentrée. Mais Sammy n'avait pas flanché. Elle lui avait demandé, une seule fois, juste après la remise des diplômes, s'il pensait qu'ils allaient rester ensemble. Ils étaient en pleine action (vous voyez ce que je veux dire), et il avait répondu oui, sans réfléchir au-delà du fait qu'il voulait la déshabiller. Elle ne l'avait plus jamais interrogé. Au lieu de ça, elle l'avait copieusement informé du coût moyen des vols entre Baltimore et Raleigh et du temps de trajet en voiture, avec ou sans embouteillages.

Il avait rompu avec elle le jour de la fête du Travail, le premier lundi de septembre, juste avant le début de la deuxième semaine de cours. Le long week-end férié avait été l'occasion d'une bacchanale mémorable sur le campus. Le vendredi et le samedi, John avait consciencieusement répondu à toutes les filles qui le draguaient qu'il avait une copine en Caroline du Nord.

Mais le dimanche soir, tandis qu'AC/DC retentissait dans un sous-sol bondé et largement alcoolisé, une jolie brune s'était approchée de lui. Il n'avait pas résisté.

Il avait rompu le lendemain avec Sammy. En lui disant qu'il avait besoin d'indépendance, de découvrir qui il était, prétextes bidon dont il savait très bien qu'elle ne serait pas dupe.

— Tu sors avec quelqu'un ? lui avait-elle demandé d'une voix tremblante.

Elle avait raccroché avant qu'il ne l'entende pleurer.

Depuis, ils ne s'étaient pas parlé. Il n'avait donc pas eu l'occasion de lui dire que les plans drague et les fêtes arrosées lui semblaient de moins en moins drôles. Il voulait lui téléphoner, lui raconter les bouffonneries de son prof de civilisation, sa voix nasillarde, ses T-shirts des Grateful Dead et la manière hilarante qu'il avait de prononcer le mot « byzantin ». Il voulait lui dire qu'il se demandait s'il ne s'était pas jeté un peu vite dans la belle vie d'étudiant « libre et sans attaches ». Il avait peut-être laissé bêtement passer sa chance avec elle ?

Voilà ce qu'il se disait en regardant le livre qu'elle lui avait offert, deux mois avant qu'il ne lui brise le cœur. Son père le poussait à faire médecine, mais lui voulait devenir journaliste ; alors elle lui avait acheté *The Elements of Style*, la bible des écrivains.

Il a ouvert la première page et lu la dédicace :

Ne laisse jamais personne décider à ta place qui tu veux être. Tu gères !
xoxo
Sammy

Juan le dévisageait, la main plongée dans son paquet de chips.

— Qu'est-ce qu'il y a ? lui a demandé John.

— Rien. Tu veux qu'on commande une pizza ?

— Non, a-t-il rétorqué en revenant à son livre.

Il l'a fermé d'un coup sec et a pris son téléphone pour aller sur le balcon où la réception – et l'intimité – était mieux garantie.

Je l'ai regardé avec effroi – je n'avais plus le temps d'intervenir, mais il était très clair qu'il espérait une seconde chance.

Et j'avais l'horrible pressentiment que Sammy allait la lui accorder.

52.

Les garçons pleurent aussi

— Tu as vu ? a demandé fièrement Piper à Gael en franchissant la porte du salon avec sa mère, le mercredi après-midi.

Halloween avait fini par arriver, et Gael, irrité et mal à l'aise, était assis sur le canapé en compagnie de son père. Piper allait faire la traditionnelle quête de bonbons avec sa mère, mais son père, comme s'ils étaient de nouveau une belle et grande famille heureuse, avait insisté pour venir voir le déguisement de sa fille et prendre quelques photos.

Piper, de son côté, était aux anges. Les cheveux dissimulés sous une savante perruque gris argent agrémentée de plumes brillantes, le visage couvert de fond de teint blanc, et vêtue d'une robe bouffante aux proportions insensées, elle paradait en agitant un éventail de dentelle.

— Alors, comment tu me trouves ?

Gael a pris une photo.

— Tu es royale.

— *Qu'ils mangent de la brioche !* s'est-elle exclamée dans un français parfait avec une morgue toute théâtrale. Ça veut dire...

— Je sais, l'a coupée Gael, tu me l'as déjà dit.

— Oui, mais en vrai, ça veut dire qu'elle se fichait du pauvre peuple, a insisté Piper. C'est Sammy qui me l'a dit.

Il a éclaté de rire.

Sa mère a sorti son téléphone.

— Mettez-vous tous ensemble, que je prenne une photo, moi aussi.

— On n'est même pas déguisés, a dit Gael.

— Ce n'est pas grave, a répondu sa mère. Ce qui compte c'est de vous avoir ensemble.

Pourquoi ? a-t-il voulu demander. *Pourquoi faire semblant que tout va bien alors que c'est faux ?*

Mais il s'est tu. Il ne voulait pas gâcher le bonheur de Piper – il l'avait assez fait, dernièrement.

Alors il s'est mis à gauche de sa sœur, tandis que son père se plaçait de l'autre côté. Piper a enchaîné les poses, sous le regard rayonnant de son père, puis sa mère a même voulu faire un selfie d'eux quatre réunis.

Après un million de photos, Gael a toussoté et pris son sac de déguisement.

— Je dois vraiment y aller, maintenant, a-t-il dit en voyant sa mère continuer de prendre des photos.

— D'accord, d'accord, a-t-elle fini par céder en glissant son téléphone dans sa poche pour arranger quelques volants de la robe de Piper.

Elle s'est relevée et a croisé les bras, comme chaque fois qu'elle s'inquiétait pour lui.

— Sois prudent, et ne fais rien de stupide. Pas d'alcool, pas de drogue, et pas de provocation devant la police. Je ne veux pas apprendre par les journaux que tu t'es fait tabasser. La police, aujourd'hui...

Elle a levé les yeux au ciel.

— *Maman…*

— Oui, oui. D'accord, tu peux y aller.

Il a embrassé sa sœur et sa mère, mais il a ignoré son père.

Celui-ci l'a néanmoins suivi dehors. Depuis la séparation, il lui donnait l'impression d'être aussi collant qu'un élève de CM1 en manque d'amis.

— Je vais t'accompagner jusqu'à Franklin, a-t-il dit en déverrouillant sa voiture.

Un groupe d'enfants déguisés arrivait devant la maison voisine, et Gael a regardé un petit fantôme trébucher sur son drap.

— Pas la peine, a-t-il répondu. Je vais marcher.

— Mais non, a insisté son père. Je veux te conduire.

— Je ne vais même pas à Franklin. J'ai rendez-vous sur le campus.

— Encore mieux ! J'ai quelque chose à prendre au bureau.

— Je croyais que tu voulais profiter de Piper, s'est défendu Gael.

— Elle ne partira qu'à la tombée de la nuit. J'ai tout mon temps. Allez, viens.

Il a ouvert la portière et s'est installé au volant, sans laisser le temps à Gael de protester davantage.

Il a vérifié, comme d'habitude, au moins cinq fois qu'aucun enfant ne passait dans l'allée derrière lui, puis il a reculé et s'est engagé en direction du campus.

La circulation, ainsi que Gael s'y attendait, n'a pas tardé à devenir difficile. Les fêtards étaient déjà dehors et Franklin Street était en partie fermée.

— À quel endroit tu as rendez-vous ? lui a demandé son père.

— Avery.

Il n'avait pas besoin d'en dire plus : son père connaissait très bien le campus – jusqu'aux résidences des étudiants, s'est rappelé Gael amèrement –, et ils sont vite arrivés devant celui de Cara.

Son père s'est garé et a posé les mains sur le volant.

— Bon, ben merci, a dit Gael en se tournant vers la porte.

— Attends.

Il a poussé un soupir excédé.

— Quoi ?

— Qu'est-ce qui se passe, Gael ? Tu es devenu agressif. Particulièrement envers moi. Tu peux m'expliquer ce qui t'arrive ?

— On est vraiment obligés de parler maintenant, le soir d'Halloween ?

Son père s'est tourné vers lui.

— Oui, Gael, on est obligés. Tu m'évites comme la peste depuis ton anniversaire. Je sais que notre séparation avec ta mère a été dure pour toi, elle est difficile pour tout le monde, mais…

— Oh, oui, je suis sûr que ç'a été super dur *pour toi* ! l'a brutalement coupé Gael.

Son père a froncé les sourcils tandis qu'un groupe de Super Mario passait à côté de la voiture.

— Qu'est-ce que ça veut dire ?

— Arrête de me prendre pour un débile, d'accord ? Tu peux faire illusion avec Piper, mais pas avec moi.

— Gael, a dit son père, brusquement sérieux, de *quoi* est-ce que tu parles ?

— Je sais que tu as trompé maman, d'accord ?

Il avait parlé très vite, de peur de ne pas y arriver, et il sentait maintenant des larmes brûlantes rouler sur ses joues. Mais il était incapable de se tourner vers son père. Il ne voulait pas voir la confirmation de ce qu'il venait de dire sur son visage.

(J'étais donc l'unique témoin de la souffrance d'Arthur Brennan ; une souffrance qu'il a néanmoins étouffée, parce qu'il savait qu'il n'y avait, en cette seconde, que son fils qui comptait. Son fils qui avait besoin de lui. L'amour a de multiples déclinaisons, mais celui d'un parent pour son enfant, celui-là mérite *toujours* qu'on se batte pour lui.)

— Gael, a dit son père en posant la main sur son épaule.

Gael a essayé de se dégager, mais son père a tenu bon.

— Gael, a-t-il répété calmement.

— Quoi ? a fini par demander Gael en essuyant ses larmes pour affronter le regard de son père.

Un regard qui disait, eh bien, *tout.*

— Je ne tromperais jamais ta mère, Gael. Je veux que tu le saches.

— Tu mens ! a répliqué Gael. Je... J'ai tout vu.

Son père a croisé les mains sur ses genoux.

— Qu'est-ce que tu as cru voir, Gael ? Raconte-moi.

Gael a pris une bonne inspiration et tendu le doigt vers le bâtiment de l'autre côté de la pelouse.

— Je t'ai vu entrer là-dedans avec une fille.

Son père a soupiré.

— Tu as une histoire, hein ? a insisté Gael en espérant, contre toute espérance, qu'il se trompait. Avec cette fille ?

Son père s'est contenté de secouer la tête.

— C'est là que se tiennent les réunions du club des Jeunes Socialistes, Gael. Et je suis leur superviseur. J'assiste à *toutes* leurs réunions.

— Alors pourquoi raconter que tu avais des heures sup, ce soir-là ?

Son père a haussé les épaules.

— Je dis ça tout le temps, c'est plus simple que de donner des détails dont tout le monde se fiche. Enfin, Gael, cette fille devait avoir vingt ans ! Tu crois vraiment que c'est mon genre de courir après les étudiantes ?

Il a sorti un paquet de mouchoirs du vide-poches et l'a tendu à son fils. Gael l'a pris avec reconnaissance.

— Et la brosse à dents, alors ? Celle que j'ai vue dans le placard de ta salle de bains ?

Son père a lâché un rire triste.

— Je suis un maniaque de l'hygiène dentaire. Tu le sais très bien, Gael. Je l'ai achetée à la cafète du campus, il y a deux semaines, après un déjeuner indien particulièrement épicé.

— Mais elle est rose ! a insisté Gael.

— Oui, elle est rose. C'était aussi la moins chère.

Gael s'est encore essuyé les joues. Il se sentait ridicule, comme un enfant auquel on viendrait d'expliquer l'évidence, mais il n'était pas tout à fait convaincu.

— Et les coups de fil ? Pourquoi tu te caches toujours dans ta chambre pour répondre ?

Son père a regardé le tableau de bord, puis ses mains. Quand il a enfin levé les yeux sur Gael, celui-ci a compris qu'il venait de mettre le doigt sur un secret. Et cela, tout à coup, lui a fait peur.

— C'est pour parler à mon psy, a fini par dire son père. Et pour que vous ne me voyiez pas pleurer.

Il avait violemment rougi, mais il ne s'est pas arrêté.

— Écoute, Gael, quand on a pris la décision de se séparer, on pensait, ta mère et moi, qu'il valait mieux vous épargner les détails, c'est pour ça qu'on ne vous a pas tout dit. Mais je me rends compte qu'on a eu tort. On aurait dû se douter que ton imagination se déchaînerait.

Il a soupiré.

— Je compte sur toi pour ne pas lui parler de tout ça. Je déteste te mettre dans cette position, mais c'est très important pour elle de vous protéger.

Gael a opiné.

Son père a baissé les yeux sur ses mains et, quand il les a relevés, Gael a été secoué de les voir embués.

— Ta mère n'était pas heureuse, Gael. Elle avait besoin d'autre chose. Elle m'aime toujours, bien sûr, mais plus de la même manière.

Ces mots ont fait l'effet d'une bombe à Gael.

— C'est *elle* qui t'a trompé ? s'est-il exclamé, sidéré.

— Non, personne n'a trompé personne, Gael. Seulement, ta mère avait besoin d'autre chose.

— Alors pourquoi c'est *elle* qui passe son temps à pleurer ? a demandé Gael qui n'y comprenait rien.

— Parce que c'est dur pour tout le monde, a répondu son père en haussant les épaules. Même si c'est son choix, ce n'est pas plus facile pour autant.

— Et la thérapie de couple ? Pourquoi vous n'avez pas essayé ? Tu passes ton temps à dire que le psy c'est génial…

— On y est allés, a dit son père en soupirant. Autant que tu saches tout, maintenant. Tu te rappelles, l'an dernier, quand Sammy restait tard le mercredi soir, parce qu'on avait des horaires impossibles avec ta mère ? Eh bien, en fait…

(C'est le moment qui me fait le plus mal, parce que l'an dernier, si j'avais été là, j'aurais peut-être pu aider les parents de Gael. J'aurais pu rappeler à Angela les reflux naturels de l'amour, l'encourager à s'accrocher. J'aurais pu pousser Arthur à se battre pour sa femme, au lieu de prendre ses déclarations pour argent comptant. Mais je n'ai rien fait de tout ça. Pendant des années, je n'ai pas été là pour eux quand j'aurais dû. J'étais trop sûr de leur réussite, trop content de mon travail. J'étais amoureux de l'amour, exactement comme Gael. Et j'ai commis l'erreur si répandue de me satisfaire du *minimum*.)

— Je la déteste ! a dit Gael.

— Non, a répondu son père d'une voix tremblante.

(Arthur Brennan, Loyaliste[1] certifié, ne cesserait jamais d'aimer sa future ex-femme. Et il ne cesserait jamais non plus de prendre sa défense.)

— Elle t'aime. Je t'aime. Nous nous aimons, même si ce n'est plus la même chose. Je suis désolé, Gael, mais… c'est comme ça.

Il a étouffé un sanglot dans ses mains.

Et Gael, ne sachant pas quoi faire, a dit :

— Je t'aime aussi, papa.

Sur quoi, il s'est essuyé les yeux une dernière fois et il est descendu de voiture.

---

1. Loyaliste (désolé du terme, j'adore l'histoire révolutionnaire) : celui ou celle qui est doté(e), en amour, d'un dévouement exceptionnel. Les Loyalistes peuvent ne pas tomber amoureux aussi vite que les Romantiques, mais lorsqu'ils le font, c'est de manière beaucoup plus profonde. Peut entraîner un fort attachement au passé, un aveuglement sur les défauts du partenaire, et, franchement, une tendance à se laisser marcher sur les pieds. Mais peut aussi déboucher sur une remarquable aptitude au pardon, gage de guérison et de reviviscence de l'amour.

53.

Le *véritable* pire jour
de la vie de Gael

A près vous avoir raconté le second pire jour de la
vie de Gael, penchons-nous sur le premier, cela
afin que vous n'ignoriez rien de celui qui restera
le plus pénible, le plus désastreux et le plus funeste de
tous les jours de sa vie.

C'était un samedi du mois de juillet précédent. Un
samedi où Gael, sa sœur et ses parents auraient dû être
occupés à la préparation d'un barbecue, à faire de l'aviron
sur le lac Jordan, à visiter le marché fermier de Chapel
Hill, ou à n'importe laquelle de toutes les autres activités
qu'ils pratiquaient d'habitude, chaque week-end, en famille.

Parce qu'ils avaient *toujours* été une famille heureuse.
Et même si Gael savait que les familles heureuses étaient
rares, il avait toujours considéré le bonheur de la sienne
comme acquis.

(Inutile de vous rappeler à quel point j'en étais, moi
aussi, convaincu.)

Gael a senti que quelque chose clochait à l'instant où
ses parents sont arrivés dans le salon et que sa mère a
coupé le documentaire que Piper était en train de regarder.

269

Sa sœur, qui n'avait même pas consommé la moitié de son temps d'écran de la journée, s'est levée pour rallumer la télé.

— Eh, il me reste encore trois quarts d'heure ! a-t-elle protesté.

Les soupçons de Gael se sont renforcés quand il a vu son père prendre la télécommande et éteindre lui-même le programme.

La déclaration qui a suivi n'a fait que confirmer l'appréhension qui, déjà, l'étreignait.

— Tu auras tes trois quarts d'heure plus tard, a dit son père. Pour l'instant, nous devons avoir, heu, une réunion familiale.

Ses parents se sont assis côte à côte sur le canapé, leur présentant un front uni. Piper s'est rassise sur le tapis et Gael a picoré les restes du dîner italien de la veille en attendant que ses parents s'expliquent. Il imaginait que sa mère avait prévu un nouveau planning des tâches familiales ou que son père tenait absolument à les emmener tous à la pêche.

Naturellement, il se trompait.

Et dès lors, le poulet parmigiana n'aurait plus jamais le même goût.

Sa mère a pris une profonde inspiration et croisé les mains sur ses genoux.

Gael s'est brusquement aperçu qu'elle avait les yeux rouges et gonflés. Il a compris qu'il ne s'agissait pas des corvées de linge.

Elle a tourné les yeux vers son père et a commencé :

— Ce n'est pas facile à dire...

Son père s'est alors éclairci la gorge.

— Votre mère et moi avons décidé d'aller chacun de notre côté. Je vais m'installer dans un appartement vers Durham à la fin du mois.

Gael a d'abord été secoué, puis choqué. Tout s'est figé, comme si le temps s'était arrêté. Son regard a glissé sur les photos accrochées au mur – des photos de famille, des moments heureux ; des visages familiers qui avaient l'air de se moquer d'eux, tout à coup.

Ses yeux sont alors tombés sur Piper. Elle avait le front plissé, comme quand elle s'efforçait de comprendre une leçon de français.

Le silence a duré… quoi ? Une minute ? Une seconde ? Une heure ? Il était incapable de le savoir.

« *Votre mère et moi avons décidé d'aller chacun de notre côté.* » Qu'est-ce que ça voulait dire ?

Piper a été la première à parler. Son visage affichait une expression de souffrance étonnée.

— Ça veut dire que tu ne veux plus vivre avec nous ?

— Oh, non, mon bébé, a dit son père d'une voix étranglée. Mais…

Il s'est tourné vers sa femme.

— Nous pensons que c'est mieux pour tout le monde. Nous vous aimons toujours plus que tout au monde, et nous tenons encore l'un à l'autre, mais ce sera mieux comme ça.

Sa mère a regardé ses mains, puis elle a levé les yeux sur Gael.

— Il arrive parfois que les gens ne s'entendent plus aussi bien qu'avant, a-t-elle dit faiblement.

Piper s'est mise à pleurer, et il a dû détourner les yeux. Elle avait le visage trop ruisselant, trop rouge, trop dévasté.

— Je ne veux pas que tu habites ailleurs ! criait-elle au milieu de ses sanglots. Je veux que tu restes ici !

Son père le dévisageait, et il a soutenu son regard.

Il comprenait que c'était sérieux, qu'il ne s'agissait pas d'une blague débile. Et plus il prenait la mesure de cette réalité, moins il se sentait dans un univers familier. Plus rien n'avait de sens, ni les photos accrochées au mur, ni les encoches à côté de la porte du salon, pourtant témoins des centimètres que sa sœur et lui avaient gagnés au fil des ans, ni la fêlure sur la fenêtre de la porte d'entrée, souvenir du pigeon qui s'était un jour cogné dessus. Comme s'il était brusquement projeté... ailleurs. Dans un endroit insupportable.

Il s'est levé d'un bond, s'est enfui dans sa chambre et s'est effondré en sanglots sur son lit.

Quelque chose d'énorme venait de se fracasser en lui.

Qu'on ne vienne plus lui parler de famille, d'amour, et de tout le tremblement.

54.

La nuit des *loving dead*

C'était le quatrième Halloween de Gael sur Franklin Street.

La rue était, comme d'habitude, bondée. Le défilé, qui se déroulait sur la partie qui longeait le campus, était essentiellement composé d'étudiants et de professeurs de l'Université de Caroline du Nord. Quelques élèves de terminale ou des facs environnantes ne manquaient toutefois jamais de s'y joindre, et les autorités estimaient à soixante-dix mille le nombre de visiteurs et de participants chaque année. Une affluence qui faisait de cette parade l'une des plus importantes du pays.

Et expliquait pourquoi les habitants de Chapel Hill prenaient Halloween tellement au sérieux. La fête s'étalait sur plusieurs rues, et les costumes étaient parfois si élaborés qu'on se demandait quand les élèves de l'université trouvaient le temps de réviser leurs partiels.

Gael ne faisait pas exception. Dès la fin du mois de septembre, quelques jours avant de se faire plaquer par Anika, il avait acheté des costumes pour eux deux – Marc Antoine et Cléopâtre –, mais compte tenu du contexte

Anika-Mason, il avait préféré ne pas s'en servir avec une autre fille. (Sans compter que Cara n'avait certainement pas vu le film auquel ces costumes faisaient référence.) Un petit détour du côté de chez Target dans l'après-midi lui avait donc permis d'acheter assez de maquillage pour un épisode de *Walking Dead*. Ce n'était pas aussi élaboré que ses déguisements habituels – qui allaient du personnage d'*Orange mécanique* (chapeau melon et regard inclus) à celui du Joker dans *The Dark Knight* –, mais ça ferait l'affaire.

Il s'était préparé avec Cara dans sa chambre sur le campus. Sa colocataire avait bu shot sur shot, pendant que son petit copain s'appliquait aux dernières retouches de son maquillage « fiancée de Frankenstein ». Le temps qu'ils soient prêts, elle en était à son troisième verre (Cara, heureusement, n'en avait pris qu'un ; Gael ne s'était donc pas senti trop mal de rester sobre). Le visage blanc, les yeux cerclés de noir et tout sanguinolents, ils faisaient des zombies tout à fait acceptables. Et Cara ne pouvait pas voir que Gael avait pleuré.

Ils étaient donc sur Franklin Street, à perfectionner leur démarche saccadée de morts-vivants, tandis que Gael, à l'insu de Cara, faisait de son mieux pour tenir le coup après les révélations de son père. La rue lui offrait, heureusement, pléthore de distractions.

— Tu seras d'accord avec moi pour dire que les mimes sont plus flippants que les zombies, hein ? lui a demandé Cara, tandis qu'une bande de clowns en noir et blanc passait près d'eux.

— Absolument, a répondu Gael, bousculé par un essaim de Minions.

Elle l'a pris par le bras.

— Viens.

Elle l'a entraîné vers un espace que venait de libérer un groupe de pompiers en talons aiguilles et l'a regardé.

— Tu t'éclates ?

Il a opiné vigoureusement, de peur de la contrarier s'il n'était pas assez convaincant. Il n'était pas en mesure de faire face à d'autres explications. Pas maintenant.

— Je suis super heureuse d'être avec toi au défilé, a-t-elle déclaré.

Il s'est demandé si elle n'avait pas avalé un deuxième shot, tout à l'heure. Ce n'était pas son genre d'être aussi démonstrative.

Un type avec un masque de Jason a trébuché devant eux et, durant une seconde, il a pensé avec nostalgie à Sammy, se demandant où elle était.

Cara a frissonné.

(Ne fais pas ça, Gael. Ne fais *pas* ça.)

— Tu veux ma veste ?

Elle portait une chemise blanche à manches longues aspergée de faux sang, mais elle avait laissé son manteau dans sa chambre.

— Non, ça ira.

Comme elle claquait tout de même des dents, Gael a commencé à déboutonner sa veste.

— Non, je t'assure, ça va.

— Puisque c'est comme ça…

Il l'a prise par l'épaule et serrée contre lui pour la réchauffer.

Ce geste, qu'il avait eu presque par réflexe, lui faisait du bien. Ça l'aidait à repousser les soucis qu'il avait en tête. Une flopée d'Angry Birds et de cochons verts leur sont passés devant, et il s'est rappelé, brusquement, que

275

c'était exactement ce qu'il voulait, deux semaines plus tôt. Le mois de novembre débutait dans quelques heures, il était libre de sortir avec Cara.

Alors pourquoi se sentait-il si hésitant, tout à coup ?

— Merci, lui a-t-elle dit en se blottissant contre lui. J'aurais dû prendre mon manteau.

— Je n'aurais pas eu le plaisir de te serrer dans mes bras, a-t-il répondu machinalement.

Il a tendu le menton vers Cosmic, un peu plus bas sur la rue.

— Ça te tente, quelques nachos ? Tu pourras aussi te réchauffer.

Elle a levé un grand sourire vers lui.

— C'est parfait. Absolument parfait.

★

Le restaurant était bondé et sentait l'alcool à plein nez.

— Tu tentes de nous trouver une table pendant que je passe la commande ? a demandé Gael. Tu veux quelque chose de spécial, en plus des nachos ?

— Un supplément de guacamole, s'il te plaît.

— Ça marche.

Sa commande passée, il s'est mis sur le côté pour observer la salle. La moitié des clients était déjà bien éméchée, et l'autre moitié suivait gaiement le même chemin. Après avoir assisté à trois débuts de bagarre, et à la chute de deux pochetrons à côté du comptoir, Gaël a enfin saisi les nachos que lui tendait un serveur en nage. Il a cherché la sauce épicée – la seule bouteille visible était dans les mains d'un Superman qui tenait à peine debout.

276

— Vous avez une autre bouteille de sauce ? a-t-il demandé au serveur.

— Seulement dans la réserve, lui a répondu le type sans bouger.

— Vous pouvez y aller ?

L'autre a regardé la foule, puis Gael.

— Je suis débordé, vieux.

— S'il vous plaît ?

Le type a levé les yeux au ciel, mais il a disparu derrière le comptoir.

En attendant, Gael a ouvert sa boîte et avalé une frite. Il ne pouvait s'empêcher de penser à la dernière fois qu'il avait mangé des nachos, juste avant d'embrasser Cara. Quelle mouche l'avait piqué de se jeter comme ça sur elle ?

Il s'est aussi demandé, encore une fois, ce que faisait Sammy. Avant de s'interdire d'y penser.

— Voilà, lui a dit le serveur en revenant. J'espère que ça suffira !

Gael a glissé une pièce supplémentaire dans le bocal des pourboires. Puis il a pris la sauce et s'est mis à la recherche de Cara.

— Désolé d'avoir été si long, s'est-il excusé en la rejoignant devant une table qu'elle s'appliquait à essuyer avec une serviette en papier. J'ai demandé au serveur d'aller chercher une nouvelle bouteille dans la réserve.

— Oh.

Elle l'a regardé, la tête légèrement inclinée, puis elle a dit :

— Tu n'étais pas obligé.

Il a haussé les épaules.

— Je sais que tu en raffoles.

— Quand même, a-t-elle répliqué. J'aurais survécu.

Il a soulevé le capuchon et copieusement arrosé leurs frites de sauce piquante.

— Tu aurais survécu, mais autant t'épargner l'épreuve.

Elle lui a fait un grand sourire, du genre contagieux, et il n'a pu que l'imiter.

Elle a continué de le regarder sans toucher ses nachos.

— Tu sais, a-t-elle repris, on est presque au mois de novembre. Rien ne nous empêche de faire... comme s'il était déjà là.

Il a senti son cœur s'emballer, sans savoir si c'était de la nervosité ou autre chose. *Était-ce à cause de l'alcool ?* s'est-il demandé. *Elle avait peut-être vraiment bu un verre de plus, avant de partir ? Elle était tellement directe, tout à coup.*

(Les filles n'ont pas besoin d'alcool pour être entreprenantes. Cara était une Monogame en série. Et le délai qu'elle s'était imposé était presque arrivé à son terme.)

— Heu...

— Quoi ?

— Tu ne préfères pas attendre que le mois soit entièrement écoulé ? Pour te dire que tu seras allée jusqu'au bout.

Il s'est forcé à sourire.

Elle a avalé une frite en haussant les épaules.

— Honnêtement ? Je m'en fiche complètement.

Les mots de Sammy lui sont revenus en mémoire. *Un mois entier de célibat ! Tu parles d'un exploit !*

Cara n'était même pas décidée à aller jusqu'au bout. N'était-ce pas un peu débile cette façon de lâcher *si près* du but ?

— Je n'ai pas envie d'être la bête noire de tes amies, a-t-il prétendu pour se donner du temps. On n'a qu'à se voir vendredi. Qu'est-ce que tu en dis ?

Elle a plissé les yeux en essayant visiblement de décrypter ce qu'il avait en tête. Mais Cara n'était pas du genre à se laisser décourager par l'hésitation des autres. Ce n'est pas dans la nature des Monogames en série.

— D'accord, a-t-elle dit. Ça marche pour vendredi.

55.

Amour et disc golf

L e lendemain, après les cours, Gael lançait son disque vers le panier métallique du quatrième trou avec une précision diabolique. Le terrain de disc golf, situé à l'extrême limite du campus, dépendait de l'université, mais personne ne lui avait jamais reproché de venir y jouer. Qu'il soit seul, ou en compagnie de Mason, comme aujourd'hui.

La veille, il s'était débrouillé pour rentrer chez lui relativement indemne. Cara ne lui avait pas fait d'avances supplémentaires. Ils avaient terminé leurs nachos, étaient retournés vers le campus et ils s'étaient séparés près de la poste – Gael faisant de son mieux pour ne pas *trop* penser à l'autre fille qui l'avait quitté au même endroit, quelques jours plus tôt.

Lorsqu'il était arrivé, sa mère l'attendait avec impatience – elle regardait toujours des films d'horreur pour Halloween –, et elle n'avait pas trop apprécié qu'il ne veuille rien lui raconter de sa soirée. Mais il savait que s'il restait trop longtemps avec elle, il risquait de craquer, et il avait promis à son père de ne rien dire.

Accablé par tant de soucis, il avait sauté sur l'occasion quand Mason lui avait proposé une partie de disc golf. Il n'avait toujours pas digéré ce que Mason lui avait fait, mais il devait reconnaître qu'une activité normale avec son ex-meilleur ami, surtout après les révélations de son père, était un sacré soulagement.

Le disque a frappé le panier avec un bruit métallique, mais il a fini par terre. Loupé de justesse.

— Le trou en un se dérobe à toi, mon ami, a dit Mason.

Il faisait franchement froid et ils portaient les sweat-shirts de l'université qu'ils avaient achetés ensemble, l'automne précédent.

— « Se dérobe à toi » ! Depuis quand tu parles comme ça ? a demandé Gael en riant.

Mason a haussé les épaules et lancé son disque sans vraiment se concentrer — à deux bons mètres du panier. Gael avait toujours dominé Mason au disc golf. C'était un sport qui exigeait une grande concentration et Mason n'arrivait jamais à maîtriser correctement son poignet.

Cet automne, bien sûr, c'était la première fois qu'ils jouaient ensemble.

Gael est allé jusqu'au panier en traînant les pieds dans les feuilles mortes, Mason sur ses talons. Il a ramassé son disque et l'a lancé, sans rater sa cible, cette fois.

— Trou en deux, a-t-il dit. Aucun mérite.

Mason a fait un second lancé, trop rapide, puis un troisième, trop court. Il a fini par prendre son disque pour aller le jeter directement dans le panier.

— Ça va ? lui a demandé Gael.

Ce n'était pas le genre de Mason de s'énerver sur un point.

— Anika se comporte bizarrement, a-t-il dit en haussant les épaules.

Gael n'a pas pu résister.

— Tu crois qu'elle drague ton meilleur ami ? a-t-il lancé d'un ton moqueur. Oh, pardon. Je suis là.

Il aurait peut-être dû dire « ancien » meilleur ami, a-t-il pensé. *Ou peut-être pas.*

Mason a levé les yeux au ciel.

— Très drôle.

Il a sorti son disque du panier et l'a fait tourner entre ses mains.

— Je crois qu'elle m'en veut de ne pas l'avoir soutenue dans son idée stupide de recommencer à déjeuner tous ensemble à la cantine.

Ne sachant quoi dire, Gael s'est balancé d'un pied sur l'autre.

— Elle prétend que j'aurais dû la défendre, a continué Mason. Que si on a l'intention de rester ensemble, on ne peut pas continuer d'avoir honte.

Gael a éclaté de rire.

— Tu ne me donnes pas l'impression d'avoir honte, vieux ! Elle non plus, d'ailleurs.

— Parce qu'elle ne veut surtout pas le montrer, a répliqué Mason. Mais elle est mal. Vraiment mal. Elle n'arrête pas d'en parler.

Gael a poussé quelques feuilles mortes du pied.

— Qu'est-ce que tu veux que je te dise ?

— Attends la suite, a répondu Mason en laissant tomber son disque. On s'est disputés, hier soir. Tout à coup, elle ne voulait plus sortir pour Halloween, tellement elle se sentait coupable. Elle n'arrêtait pas de parler du costume de Cléopâtre que tu lui avais acheté.

Gael a lâché un petit rire. C'était réconfortant de savoir qu'elle se souciait encore un tout petit peu de lui.

— Le plus bizarre, a continué Mason, c'est qu'avec n'importe quelle autre nana, je me serais tiré depuis long-temps. Et là, non seulement je suis resté, mais quand on a fini par sortir, je n'avais aucune envie de regarder les autres filles. Je n'y pensais même pas !

— Parce que tu ne voyais qu'elle, hein ?

— Exactement.

Il a ramassé son disque.

— Je ne devrais pas te prendre la tête avec ça. Je sais aussi qu'on a déconné grave. Si c'était toi qui m'avais fait un coup pareil, j'aurais voulu ta peau.

— Rassure-toi, lui a rétorqué Gael, *j'ai* voulu la tienne.

Mason s'était remis à faire tourner son disque.

— N'empêche, tu restes mon meilleur ami. Et le seul avec lequel j'ai envie de parler de ces trucs-là.

Gael a sorti son disque du panier et s'en est allé vers le trou suivant, Mason sur ses talons. Il était à un tour-nant, il le savait. Il pouvait piquer une crise et envoyer bouler Mason, en lui expliquant qu'il était tout de même sacrément gonflé de venir lui demander conseil sur la petite amie qu'il lui avait volée.

Ou bien...

Ou bien il pouvait reconnaître que son histoire avec Anika n'était pas aussi sérieuse que ça. Qu'il avait peut-être un peu trop pris ses désirs pour la réalité et qu'elle n'était pas, en fait, l'amour de sa vie.

Il pouvait regarder les choses en face et admettre que Mason, lui, était bel et bien amoureux d'Anika.

— Écoute, vieux... Peut-être que tu es vraiment mordu ?

284

— Ça, je le sais, a lâché Mason, accablé. Mais qu'est-ce que je dois faire ? Si je lui dis, et qu'elle se met à flipper ? Elle pourrait me plaquer.

— C'est le risque, a reconnu Gael sur un haussement d'épaules.

Il voyait bien, au regard de Mason, que ce n'était pas la réponse qu'il attendait.

— Et qu'est-ce que je suis censé faire ? s'est-il d'ailleurs défendu. L'accepter ?

— Qu'est-ce que tu veux faire d'autre ? a répliqué Gael. La plaquer avant, pour qu'elle ne te plaque pas d'abord ?

Mason a éclaté de rire.

— Je t'assure que c'est tentant, parfois...

(La rupture préventive est un grand classique, croyez-moi.)

Ils étaient arrivés au trou suivant et Gael a lancé son disque, qui a atterri beaucoup trop loin.

— Je suis désolé d'être aussi nul comme ami, a subitement lâché Mason.

— Il y a pire, a dit Gael.

— Y a quand même mieux.

— D'accord, il y a mieux. Mais nul ou pas, tu es *mon* ami. Alors, je dois faire avec.

Un gigantesque sourire s'est dessiné sur le visage de Mason.

Et Gael a senti un poids, dont il n'avait pas conscience jusque-là, s'envoler.

— Puisqu'on est réconciliés, a-t-il repris, légèrement hésitant, je peux te raconter ce que j'ai appris hier. En fait... c'est ma mère qui veut divorcer. Apparemment, elle en a marre de vivre avec mon père. J'ai cru un moment qu'il l'avait trompée, mais pas du tout. Elle s'est seulement lassée de lui.

Mason en a lâché son disque.

— Et dire que je te saoule avec mes histoires… Je suis désolé, mec.

Gael a haussé les épaules.

— Je ne sais pas si je dois être furieux contre ma mère ou seulement complètement désabusé par l'amour.

Mason a ramassé son disque.

— Il vaut mieux être déçu par l'amour que de n'avoir jamais aimé, a-t-il décrété. Je l'ai lu sur Reddit.

Gael a éclaté de rire.

— Tu crois ? C'est ce que je pensais, avant. Mais je n'en suis plus aussi certain.

Il pensait à Sammy et à la souffrance qu'il éprouverait s'il devait perdre son amitié.

— J'en suis convaincu, moi, a répliqué Mason.

Et, pour la première fois de sa vie, il a jeté son disque du premier coup dans le panier.

— Trou en un ! s'est exclamé Gael en bondissant. Non, mais c'est dingue !

Tandis qu'il tapait dans la main de son ami, une autre pensée lui venait à l'esprit.

S'il avait hésité, la veille, ce n'était peut-être pas parce que Cara n'était pas la fille de ses rêves…

Mais peut-être parce que Cara n'était pas Sammy, tout bêtement.

Et s'il s'était laissé, tout ce temps-là, *aveugler* ?

56.

Destination Baltimore

Lorsque Gael est arrivé chez lui cet après-midi-là, il se sentait plus droit dans ses bottes qu'il ne l'avait été depuis très, très longtemps. Son soulagement d'avoir enfin pardonné à Mason était immense. Il avait même confié à son ami qu'ils pourraient bientôt reprendre leurs habitudes et déjeuner tous ensemble à la cantine.

À cette satisfaction s'ajoutait un sentiment de détermination tout neuf. Gael ne pouvait plus l'ignorer : il avait des sentiments pour Sammy. Et il devait savoir, avant d'envisager sérieusement de sortir avec Cara, si Sammy éprouvait la même chose. C'était la moindre des choses.

Il ne savait pas ce qu'il allait lui dire, mais en franchissant le couloir jusqu'à la salle à manger, il se sentait pousser des ailes.

Comme d'habitude, Sammy et Piper étaient assises à table. Piper recopiait du vocabulaire français avec une telle application qu'elle n'a même pas levé les yeux.

Sammy, au contraire, l'a vu tout de suite. Elle a souri et ajusté ses lunettes. Gael a eu envie de les lui arracher et de l'embrasser sur la bouche, comme dans les films.

— Alors ? lui a-t-elle demandé. Je veux tout savoir.

— Hein ?

— Ton rendez-vous !

— Ton rendez-vous ? a répété Piper, brusquement intéressée.

Il était tellement obnubilé par ce qu'il avait en tête qu'il ne voyait pas du tout de quoi Sammy parlait.

— Hier soir, a suggéré Sammy. Avec Cara ? Halloween ?

— Oh, ça, a-t-il lâché en retrouvant ses esprits. Ce n'était pas vraiment un rendez-vous.

— Alors ton « non-rendez-vous » avec ta « presque » petite copine, a repris Sammy en mimant les guillemets du bout des doigts.

— Attendez, les a coupés Piper. Je croyais que *vous* vous aimiez bien, tous les deux.

Sammy a rougi comme une pivoine. Gael ne l'avait jamais vue aussi décontenancée, mais il ne valait guère mieux.

— Non, a-t-il dit. Je veux dire, si... Enfin, le fait est que...

Sammy est venue à sa rescousse d'un ton posé :

— Je suis ta baby-sitter, Pip. Je ne peux pas sortir avec ton frère. De toute façon, une autre a déjà pris son cœur.

— Mais vous êtes allés au cinéma ensemble, a protesté Piper. C'est un *rendez-vous*, ça.

— D'accord, d'accord, Mademoiselle Je-sais-tout, a dit Sammy en fermant le livre de sa petite sœur. Pourquoi n'irais-tu pas t'amuser un peu sur l'ordinateur ? Je ne dirai rien à ta mère.

— Tu veux te débarrasser de moi, c'est ça ?

— Exactement, a répondu Sammy.

— Il suffisait de le dire !

Sur quoi, Piper a bondi sur ses pieds et disparu aussi vite que possible.

Sammy s'est adossée à sa chaise. Gael s'est dit que c'était le moment de parler. Il devait seulement trouver ses mots.

— Ta sœur est un sacré numéro, a dit Sammy en riant.

Il a bredouillé une réponse inintelligible avant de venir s'asseoir à côté d'elle. Il commençait à transpirer.

Sammy l'a dévisagé sans rien dire. Il ne restait qu'un joli rose sur ses joues. Gael était presque envoûté, mais elle a croisé les bras, et le charme s'est rompu.

— Je veux tout savoir sur ta soirée d'Halloween, a-t-elle dit. Raconte.

Il a haussé les épaules.

— Bah, c'était sympa. On était déguisés en zombies. Et toi ?

Elle a posé les coudes sur la table et l'a dévisagé avec plus d'attention.

— Tu es sûr que ça va ? a-t-elle demandé.

Il s'est empressé d'opiner – en se demandant pourquoi c'était tellement *difficile* de parler.

— Moi, je ne suis pas sortie, finalement.

Trois enfants jouaient au ballon dans la rue et il s'est brièvement demandé à quoi ressemblait Sammy lorsqu'elle était petite. Elle était probablement la même... Il a rapproché un peu sa chaise. Comment passer d'une conversation sur Halloween dont il se fichait éperdument au seul et unique sujet qui l'intéressait ?

— Tu n'es pas sortie ? a-t-il fini par dire. Je croyais que tu avais des plans ?

Elle a reculé et s'est mise à tripoter l'ourlet de son T-shirt.

— Je devais sortir avec ma coloc, mais ça s'est fini au téléphone avec John.

John ? Il a senti son cœur s'arrêter. C'était bien la dernière nouvelle à laquelle il s'attendait.

— Ton ex ?

— Il m'a appelée lundi soir...

— Et qu'est-ce qu'il voulait ?

Elle a hésité.

— Il s'est excusé de tout ce qu'il a fait.

— Y compris de t'avoir faite cocue ?

— *Eh !* s'est-elle exclamée. Pas la peine d'être aussi raide, il ne t'a rien fait !

Il aurait pu réagir, mais elle a été plus rapide que lui.

— Il m'a tout expliqué. Il est sorti avec une fille à une soirée et il a rompu avec moi dès le lendemain. Je n'appelle pas ça être cocue.

— Ben tiens ! C'est facile.

Il sentait qu'il s'énervait.

— C'est peut-être facile, mais c'est la vérité. Ça le faisait flipper d'avoir une relation à distance. Depuis lundi, on s'échange des textos, il m'a même envoyé des fleurs. C'est adorable.

Il a pris une bonne inspiration en essayant de rassembler ses idées.

Sammy, de son côté, jouait avec le livre de français de Piper.

— Quoi qu'il en soit, a-t-elle repris sans le regarder, je pars à Baltimore demain soir. Je préfère le voir avant de décider si on peut se remettre ensemble.

— Quoi ? s'est exclamé Gael. Tu penses vraiment à te remettre avec lui ?

Elle s'est tournée vers lui en plissant les yeux. Il a remarqué une petite larme sur la page à laquelle le livre était ouvert.

— Si Anika était venue s'excuser, tu ne lui aurais pas donné une seconde chance ? Et John n'a pas commencé à sortir dans mon dos avec ma meilleure amie. Il est sorti avec une fille, pendant une soirée, une seule fois. C'est la fac.

Gael a ouvert la bouche, mais il n'a rien trouvé à dire. Alors il a haussé les épaules.

— Fais ce que tu veux. C'est ta vie.

— Tu ne m'aides pas beaucoup, a-t-elle déclaré. On est censés être amis.

Ce n'est qu'à ce moment-là qu'il a compris à quel point il ne voulait pas être *ami* avec elle.

Mais il était trop tard. C'était d'une clarté douloureusement aveuglante.

— J'ai une interro à préparer, a-t-il dit en se levant brusquement. Bon voyage.

Il est parti dans sa chambre sans attendre sa réponse.

57.

SMS Thérapie

Arrivé dans sa chambre, Gael a lancé *Rushmore* sur son ordinateur – un film que Sammy n'aimait pas –, et par un texto furieux, il a informé Mason des nouveaux développements.

Moi qui croyais avoir des chances avec Sammy, elle vient de me dire qu'elle va retrouver son ex

Et l'autre, qu'est-ce qu'elle est devenue ?

Je ne sais pas, je ne pense qu'à Sammy

Je le savais ! Pourquoi ne l'empêches-tu pas d'aller retrouver son crétin d'abruti ?

Parce que c'est sa vie, et que c'est ce qu'elle veut

BIDON

Je ne l'intéresse pas, après ce qu'on s'est dit, c'est clair

À d'autres

*Si je l'intéressais, pourquoi repartir vers son crétin d'abruti
(sympa, comme nom)*

*Je ne sais pas, mon vieux, je ne sais pas, les filles sont
bizarres. Anika m'a fait une crise parce que j'ai supposé
qu'on se voyait demain, sans lui avoir posé la question*

*LOL ne suppose jamais rien avec elle. Je sais de quoi je
parle ;)*

*Eh bien, va parler à Sammy
TOUT DE SUITE !!!*

Je ne peux pas ☹

*Qu'est-ce que tu vas raconter à l'autre ? Tu n'es pas censé
sortir avec elle... très bientôt ?*

Chais pas ☹

Quel Don Juan ! (on dirait que j'ai trouvé mon maître)

☹ ☹ ☹

58.

Conseil familial
(version maternelle)

En dépit de l'insistance de Mason, Gael n'est pas allé parler à Sammy. En fait, il était toujours dans sa chambre lorsque sa mère est rentrée, juste après cinq heures. Une minute plus tard, elle frappait à sa porte.

— Je peux entrer ?

Il a soupiré.

— Si tu veux.

Elle a ouvert, jeté un coup d'œil sur le film – presque terminé – qu'il était en train de regarder et elle a dû comprendre qu'il n'était pas plus plongé que ça dans l'intrigue, parce qu'elle s'est adossée à son armoire en souriant. Aujourd'hui, elle n'avait pas les yeux gonflés. *Tant mieux pour elle*, s'est dit Gael avec amertume.

— Tu ne m'as pas raconté ta soirée d'Halloween, a-t-elle dit en ramassant le T-shirt abandonné sur sa chaise de bureau pour le plier distraitement.

— C'était sympa.

Elle a posé le T-shirt sur le côté, puis elle a croisé les bras.

— Tu n'es pas très bavard. Hier déjà, tu étais bien calme. Quelque chose ne va pas ?

Il l'a dévisagée. Il aurait voulu hurler. Lui dire que oui, parfois, il avait l'impression que *tout* allait mal, que leur famille n'était plus qu'un champ de ruines, qu'il ne croirait plus jamais en l'amour. Il voulait aussi lui dire, honnêtement, à quel point le divorce le déchirait, et surtout lui demander pourquoi, pourquoi est-ce qu'elle avait décidé de quitter son père ?

Mais il ne pouvait pas. Il avait donné sa parole.

Elle l'a regardé d'un air malicieux.

— Papa m'a parlé d'un rendez-vous mystérieux avec une étudiante sur le campus. À quoi ressemble-t-elle ? Qu'est-ce qu'elle étudie ? Je veux tout savoir sur elle !

— Je n'ai pas envie d'en parler.

— Allez, Gael, a insisté sa mère. Tu m'as tout raconté la première fois que tu es sorti avec Anika.

C'était vrai. Il lui avait tout dit parce qu'ils avaient toujours été très proches tous les deux, et parce que, après le départ de son père, elle était si effondrée que tout ce qui semblait la réconforter un peu, c'était de lui parler, de lui raconter sa vie dans les moindres détails.

Il s'était senti tellement mal pour sa mère. Mais maintenant, il savait que c'était elle qui avait voulu se séparer de son père.

— Je n'ai pas envie de te raconter mes histoires, maman.

Elle a haussé les épaules et lâché, avec un petit sourire désolé :

— Je sais, je sais, je suis ta vieille radoteuse de mère.

Il a fait non de la tête, puis il s'est assis sur son lit pour mettre son film en pause. Après quoi, il a pris une bonne inspiration et il a dit :

— Je sais que c'est toi qui as décidé de rompre avec papa.

Il a vu sa mâchoire se décrocher.

— Comment le…

— Papa me l'a dit. Je croyais qu'il avait une maîtresse, il a été obligé de me dire la vérité.

Elle a porté les mains à sa bouche, puis les a laissées retomber.

— Oh, Gael ! Chéri, je suis désolée. Tellement désolée. Je… Laisse-moi t'expliquer…

— Je ne veux pas t'écouter. Papa m'en a dit assez.

Sur quoi il s'est allongé sur son lit et tourné vers le mur jusqu'à ce qu'il entende sa mère fermer la porte derrière elle et descendre l'escalier.

59.

Couloir d'un lycée
de Chapel Hill

L e lendemain matin, Gael s'est dépêché de traverser le parking du lycée. Il voulait intercepter Mason avant le début des cours pour lui raconter la scène de la veille avec sa mère – les textos ne remplaçaient pas une discussion –, mais il était en retard. S'il ne l'attrapait pas tout de suite, il devrait attendre le cours de chimie.

Les couloirs étaient bondés. Dans le préau, Danny lui a fait signe, mais Gael ne s'est pas arrêté. Mason connaissait ses parents beaucoup mieux que n'importe qui, et Gael comptait sur lui pour l'aider à arranger les choses.

Il naviguait entre les groupes d'élèves vers le casier de son ami quand il a vu qu'Anika était avec lui. Il s'est arrêté net. Un joueur de l'équipe de foot lui est rentré dedans en jurant.

— Désolé, vieux, lui a dit Gael par-dessus son épaule.

Anika avait les poings serrés.

— Ce n'est pas ce que je voulais dire !

Mason avait l'air complètement désorienté.

— Alors pourquoi refuses-tu de sortir, ce soir ? On avait tout organisé. J'ai même fait des réservations.

Gael s'est souvenu des SMS de Mason. Anika lui en voulait à ce point d'avoir pris l'initiative ? Elle était indépendante, bien sûr, mais il n'y avait tout de même pas de quoi en faire un plat.

— J'ai changé d'avis, d'accord ? J'ai encore le droit de changer d'avis, non ?

— Évidemment, mais je voudrais comprendre pourquoi.

— Tu sais quoi ? a-t-elle répliqué tout en secouant la tête et en reculant. Peut-être qu'on ferait mieux de tout arrêter !

Elle a fait demi-tour pour foncer en direction de Gael qui, bien malgré lui, lui barrait le passage.

Ils se sont retrouvés nez à nez.

— Qu'est-ce que tu as entendu ? lui a-t-elle demandé en dressant le menton.

Ils étaient au beau milieu du couloir, mais tout à coup ça n'avait aucune importance, comme si une bulle s'était fermée sur eux. Il avait eu parfois cette impression d'être seul au monde avec elle.

— L'essentiel, j'imagine, a-t-il répondu.

— Eh bien, maintenant, tu sais que je suis ignoble avec tout le monde. Bonne journée.

— Attends !

Ce n'était pas juste. Il avait vu comment elle était avec Mason. C'était pour ça que leur rupture avait été si dure à encaisser.

Elle s'est arrêtée.

— Je n'ai pas besoin d'un autre sermon, Gael. Surtout en public.

Quelques élèves s'attardaient pour les regarder. Elle avait raison, la scène allait faire le buzz. Mais Gael s'en

300

fichait complètement. De toute façon, il ne voulait pas lui faire la leçon, loin de là.

— Vous venez vraiment de rompre ? lui a-t-il demandé.

Elle a soupiré, les larmes aux yeux.

— Je ne sais pas.

— Que s'est-il passé ? a-t-il continué. Mason tient beaucoup à toi. Je suis sûr qu'il a une explication pour ce qu'il a fait...

— Il n'a rien fait, l'a coupé Anika. Et depuis quand es-tu redevenu son meilleur ami ?

Gael a froncé les sourcils.

— Je ne comprends pas. Tu le jettes alors qu'il n'a rien fait et que c'est *toi* qui es allée le chercher ?

Elle l'a regardé, les bras ballants et l'air penaud.

— C'est n'importe quoi. Je sais. Mais...

Elle a fouillé dans son sac à dos pour en sortir un livre qu'elle lui a fourré dans les mains.

COMPRENDRE ET SOIGNER SON KARMA RELATIONNEL
Pourquoi on ne sème – et on ne récolte –
jamais rien par hasard

Le genre de livres que lirait son père, s'est dit Gael. Il se demandait d'ailleurs si ce n'était pas un de ceux qu'il lui avait *déjà* donnés. Il a levé un regard perplexe sur Anika.

— Je l'ai trouvé sur Internet, d'accord ? Je l'ai commandé juste après ton dîner d'anniversaire. Je me sentais un peu mal d'être une Marie-couche-toi-là. Ça te va ?

— Qu'est-ce que tu racontes ? Tu n'es pas une Marie-couche-toi-là. Et plus personne n'emploie cette expression !

— Peu importe.

Elle a repris son livre pour le remettre dans son sac en vérifiant autour d'eux que personne n'avait vu sa couverture new age.

— J'ai commencé à le lire. Il explique que ce qui débute dans le chaos se termine dans le chaos. Et que c'est mauvais pour le karma d'accumuler les ondes négatives. Ça peut te pourrir la vie, tes relations avec les autres, et même tes vies futures.

Il a éclaté de rire.

— Il te faut un livre pour savoir que ce n'est pas génial de tromper ton petit copain ?

Elle a croisé les bras.

— Tu sais quoi ? Oublie !

Elle est partie, mais Gael l'a retenue par l'épaule.

Au lieu de se dégager, elle s'est tournée vers lui.

C'était le moment de vérité, s'est-il dit en la regardant. L'occasion de lui dire enfin calmement à quel point elle l'avait salement traité. Pas en hurlant, comme le soir de son anniversaire. Cette fois, elle comprendrait, il en était certain. Parce que cette fois, elle l'écoutait.

Mais quelque chose l'a retenu... L'impression qu'elle savait déjà tout ce qu'il pouvait lui raconter, qu'elle s'en voulait suffisamment pour qu'il ne soit pas utile de l'enfoncer davantage.

Et si c'était à lui de s'inquiéter de son karma relationnel ?

— Écoute, a-t-il commencé. Tu m'as vraiment fait mal, et ça ne va pas disparaître d'un seul coup.

Elle a ouvert la bouche, mais il a levé la main. Il voulait, avant de l'entendre, dire ce qu'il avait sur le cœur. Elle a baissé les yeux sur ses pieds, et il a continué :

— Je t'ai mis la pression en te disant si vite que je t'aimais, et tu as réagi n'importe comment, c'est sûr.

Mais… je ne sais pas, c'était peut-être inévitable. Tu n'as peut-être pas eu tort de me plaquer, même si tu aurais pu t'y prendre autrement.

Anika s'est mordillé les lèvres en contemplant le lino poussiéreux. Elle portait ses chaussures rouges, celles qu'il aimerait toujours.

— Ne gâche pas ce que tu partages avec Mason à cause de moi, a-t-il conclu. La vie est bien trop courte pour tourner le dos à ceux qui peuvent nous rendre heureux.

La sonnerie a retenti et Gael s'en est allé sans un mot de plus. Il se sentait étrangement, incroyablement, *détendu*.

60.

On pourrait au moins faire semblant de travailler, non ?

Gael était nerveux en arrivant en cours de chimie, après le déjeuner. Il n'avait vu ni Mason ni Anika à la cantine, et il craignait qu'en dépit de son beau discours Anika n'ait pas été capable de pardonner à Mason – ou, plus précisément, de se pardonner à elle-même.

Mais en voyant Mason débarquer, ses craintes se sont aussitôt envolées. Il avait une belle trace de rouge à lèvres au coin de la bouche.

Il a levé les yeux au ciel. Anika et Mason n'étaient pas en train de se disputer, pendant qu'il s'inquiétait pour eux. Ils se bécotaient.

Mason s'est assis béatement à côté de lui.

— Écoute, vieux, lui a dit Gael, je sais qu'il t'arrive de te maquiller, mais ce n'était pas la peine, cette fois. Je ne suis plus le souffre-douleur d'une bande de dégénérés de primaire !

— Hein ?

Il a désigné le coin de sa lèvre.

— Oh, s'est exclamé Mason. Je suis démasqué !

Il s'est brusquement arrêté de rire.

— Heu... Désolé. C'est... bizarre, non ?

— Un peu, a répondu Gael, mais... ça va.

Ils ont éclaté de rire.

Ils avaient une manip de chimie, aujourd'hui, mais ils ont passé le cours à faire à peu près rien de leur microscope.

Au lieu de travailler, ils ont parlé de la mère de Gael – Mason poussait Gael à écouter ce qu'elle avait à lui dire, mais Gael ne voulait rien entendre.

Ensuite, ils ont parlé de la fameuse initiative de Mason : il avait réservé une table pour deux, le soir même, au 411 West, le nec plus ultra des restaurants italiens romantiques de la ville. Gael n'a pas pu s'empêcher de sourire en imaginant Mason assis devant son assiette à se demander quelle fourchette prendre.

Puis la conversation a glissé sur Cara.

— Alors tu la vois cet après-midi, a résumé Mason. Et c'est le jour J ?

Comme Mrs Ellison, leur professeur, passait à côté d'eux, Gael a fait semblant de régler son microscope.

— Ouais, a-t-il dit quand elle s'est éloignée. Je n'ai pas su comment annuler. Je ne sais même pas si je dois annuler.

Mason a froncé les sourcils.

— Tu es sûr que Sammy ne s'intéresse pas à toi ?

Gael s'est posé la question.

(Et cela m'a attristé, parce qu'il n'aurait pas dû le faire – j'étais bien placé pour savoir qu'il avait encore une chance. Mais je savais aussi que les Romantiques ne badinent pas avec l'amour. S'ils tombent gravement amoureux, ils prennent les ruptures encore plus gravement, surtout au début.)

Quoi qu'il en soit, Gael était certain d'une chose : Sammy avait raison. Le timing était *primordial*. S'il avait ouvert les yeux plus tôt, il n'en serait peut-être pas là, aujourd'hui. D'un autre côté, comment rivaliser avec un garçon qu'elle connaissait depuis le lycée ? Sammy aimait John, c'était très clair. Chaque fois qu'elle avait parlé de lui, en tout cas jusqu'à leur rupture, il s'en était rendu compte. Il ne faisait pas le poids.

(Permettez-moi une toute petite remarque : les Romantiques aiment d'un amour profond *et* admirable – c'est indiscutable. Ils ont néanmoins un défaut : l'incertitude. Ils doutent en permanence qu'on puisse éprouver des sentiments aussi profonds *pour eux*.)

— Il ne se passera rien avec Sammy, a fini par déclarer Gael.

En voyant Mrs Ellison revenir, Mason s'est mis à gribouiller de prétendus résultats sur leur brouillon. Trente secondes plus tard, il a haussé les épaules.

— Bah, Cara est cool. Tu l'aimes bien. Qu'est-ce que ça peut faire si ce n'est pas la bonne, du moment qu'elle convient maintenant ?

61.

Les pour et les contre
« sortir avec Gael »,
selon la liste
(revue et corrigée) de Sammy

Pour :
— ~~Il a de super beaux yeux.~~
— ~~Vient de fêter ses dix-huit ans (ouf !).~~
— ~~Passionné de cinéma.~~
— ~~Sensible, et même super romantique (d'après son comportement avec Anika).~~
— ~~Ouvert, on peut parler de presque tout.~~
— Grand frère sympa et sa famille m'adore.
— ~~Impression qu'il m'apprécie, qu'il m'apprécie BEAUCOUP.~~
— C'est lui.

Contre :
— Lycéen (en terminale, mais quand même).
— Vient de fêter ses dix-huit ans (beaucoup trop jeune).
— OBSÉDÉ par Wes Anderson (alors que ses films ne sont pas si bons que ça).
— Un vrai passionné de cinéma aurait déjà vu, et de lui-même, au moins un film gore.
— ~~C'est le grand frère de la fille que je garde.~~

— S'il tenait tant que ça à Anika, comment a-t-il rebondi aussi vite ?

— Trop bavard.

— ~~Trop gentil.~~

— Ses yeux ne sont pas aussi renversants.

— Si je l'intéressais vraiment, il ne se jetterait pas dans les bras de Cara.

62.

Le baiser – première partie

L'après-midi avançait et, quelle que soit la nervosité de Gael, l'heure était venue d'aller à son rendez-vous. Le mois de célibat de Cara était officiellement terminé et il avait décidé de suivre le conseil de Mason. Pourquoi ne sortirait-il *pas* avec Cara ? Elle le rendait, globalement, heureux. Pouvait-il raisonnablement en demander plus ?

La température était d'une douceur exceptionnelle pour une journée de novembre, et Cara avait suggéré un pique-nique sur le campus.

Il avançait au milieu des étudiants qui jouaient au Frisbee ou se prélassaient sur les pelouses en buvant ce qui n'était très probablement pas du café. (Soit dit en passant, pas moins de cinq couples allaient se former, cet après-midi-là. Il est vrai que l'arrivée de l'hiver pousse les gens dans les bras les uns des autres, comme si leur vie en dépendait.)

Gael a aperçu Cara devant la bibliothèque. Elle était assise sur une couverture rouge et portait une robe à pois.

— Waouh, tu es superbe ! s'est-il exclamé en la rejoignant.

— Ne prends pas cet air si étonné, a-t-elle répliqué en riant. C'est vexant !

— Tu sais que ce n'est pas ce que je voulais dire.

Elle a ouvert un sac duquel elle a sorti des bagels et deux gobelets fermés par un couvercle.

— Tiens, lui a-t-elle dit en lui en fourrant un, tout chaud, dans les mains. C'est du café latte. De chez Daily Green. J'y suis allée exprès. Leurs cafés ne sont pas aussi bons que chez Starbucks, mais je me rappelle t'avoir entendu dire que tu préfères.

— Ce n'était pas la peine de te donner tant de mal.

— Je ne me suis donné aucun mal. Tiens, prends ton bagel.

Il lui a souri et s'est mis à manger, trop heureux d'avoir quelque chose à faire. Ils ont discuté du temps, du café, du jeu très approximatif des lanceurs de Frisbee à côté d'eux.

Puis leurs sandwichs ont été terminés, leurs cafés avalés, et ils n'ont plus rien eu pour les distraire.

Cara s'est approchée de Gael. Il a hésité, puis il a fini par passer le bras sur ses épaules. Elle s'est serrée contre lui, son gobelet vide encore dans ses mains. Elle a commencé à le déchirer en petits morceaux, tandis que Gael lui caressait doucement le bras. À partir de là, il ne savait trop comment poursuivre.

Finalement, quand son gobelet a été réduit en confettis, Cara a levé la tête vers Gael. Il a penché la sienne et, pour la seconde fois, leurs lèvres se sont touchées.

63.

Une seule idée en tête

Sincèrement, ce baiser m'inquiétait un petit peu. Mais lorsque j'ai sondé l'esprit de Gael, pour voir s'il pensait encore que cette affaire avait une chance de réussir, voilà, chers lecteurs, ce que j'ai découvert :

SAMMY SAMMY SAMMY SAMMY SAMMY SAMMY SAMMY...

Et, avant que vous ne commenciez à trop vous attendrir sur notre chère Monogame en série, voilà, de son côté, ce qu'elle pensait :

Je suis sûre de mieux aimer le baiser suivant...

C'est juste une question d'entraînement...

En tout cas, je suis sûre d'avoir un petit copain au moins pour les prochaines semaines...

Bingo ! Finalement, ma stratégie de les laisser s'embrasser (pour voir) n'était pas complètement à côté de la plaque.

64.

Le baiser – deuxième partie

Gael embrassait Cara, quand il a entendu un martèlement de pas précipités dans leur direction. Il n'a compris ce qui se passait qu'au moment où le joueur de Frisbee lui tombait dessus, l'arrachant aux bras de Cara.

— Nom de dieu ! a-t-il hurlé. C'est quoi, ce bordel ?

Le type s'est redressé en vitesse et a pris son disque.

— Désolé, vieux, je t'avais pas vu.

(Tout ce que j'ai eu à faire, c'est d'envoyer le Frisbee plus loin que ce qui était prévu. Parfois, je vous assure, mon job est presque trop facile.)

— Abruti ! lui a crié Gael tandis que le type disparaissait.

Il s'est tourné vers Cara.

— Ça va ?

Elle a opiné, un peu sonnée mais indemne. Et tout à coup, elle a eu l'air d'avoir découvert quelque chose, comme si elle venait de comprendre un message sibyllin ou de trouver la réponse à un problème difficile.

(Mon œuvre, encore ! L'irruption savamment orchestrée du joueur de Frisbee leur avait laissé juste assez de temps pour réfléchir, pour prendre un peu de recul et ce baiser pour ce qu'il était vraiment : une erreur.)

— Je dois partir, j'ai du boulot, a dit Cara en se levant.

Elle a commencé à ramasser ses affaires.

Gael n'a même pas essayé de la retenir. Il s'est levé et il l'a aidée à tout ranger dans son sac. Il comprenait parfaitement la situation.

— Pas de souci, lui a-t-il dit gentiment. J'ai du boulot, moi aussi.

Et voici, mes chers amis, de quelle façon le Rebond intempestif et déplacé de Gael a officiellement pris fin.

65.

La main au collet

Les affaires de Cara emballées, et après un échange d'au revoir embarrassés, Gael s'est élancé à toute vitesse à travers le campus. Avec un peu de veine, se disait-il plein d'espoir, Sammy n'était pas encore partie à l'aéroport. Tout n'était pas forcément perdu, il pouvait arriver *à temps* !

Il courait vite, esquivant des professeurs chargés de livres, bousculant un grand type avec un trombone, évitant de justesse une minuscule étudiante presque écrasée par l'impressionnant matériel photo qu'elle transportait sur son dos.

Mais, devant le clocher de Morehead-Patterson, il s'est arrêté net. Il y avait un problème. De taille. Il se dirigeait vers les dortoirs, certes, mais lequel était celui de Sammy ?

Il a essayé de l'appeler, pour tomber directement sur sa messagerie.

Il était bientôt cinq heures. Avait-elle mentionné l'heure de son vol ? Il ne s'en souvenait pas.

Il s'est mis à faire les cent pas devant le clocher en essayant de se rappeler le nom de sa résidence. Il se sou-

317

venait vaguement qu'elle l'avait dit, lorsqu'ils étaient allés à la conférence sur les films d'horreur.

Hines quelque chose ? Ça commençait par un H, en tout cas.

De toute façon, même si le nom de la résidence lui revenait, il n'avait aucune idée de l'endroit où elle se trouvait.

Plein d'une résolution toute neuve, il a fait demi-tour vers la boutique du campus en espérant qu'il y trouverait un plan.

Il a trébuché sur une brique déboîtée du trottoir, une « brique traîtresse » comme les appelait Sammy, mais il s'est rattrapé et a continué de courir.

Il a grimpé les marches de la boutique quatre à quatre. À l'intérieur, il a fait le tour des rayons en courant pour trouver, derrière les sweat-shirts à l'effigie de l'université, une boîte remplie de plans du campus. Il en a pris un qu'il a retourné : 3,99 $.

Il a jeté un coup d'œil vers la caisse. Une mère, sans doute de passage pour un match de foot, discutait le prix d'un sweat-shirt avec le caissier et prenait, apparemment, *tout* son temps.

Et merde, s'est-il dit.

Après avoir rapidement vérifié que personne ne le regardait, il a glissé le plan dans sa poche, puis il est reparti, d'un pas aussi dégagé que possible, vers la porte.

— Eh ! a dit quelqu'un derrière lui.

Il a senti ses cheveux se dresser sur sa tête.

— Eh ! Je t'ai vu.

Gael s'est tourné pour voir un type solide et musclé le dévisager sans la moindre ambiguïté.

Alors, sans penser aux conséquences, sans même considérer qu'il serait plus simple de s'excuser et de payer ce fichu plan sans discuter – sans réfléchir, en fait, du tout –, Gael a saisi l'étagère remplie de sweat-shirts et l'a jetée par terre.

Des cris se sont élevés et il s'est mis à courir au milieu des étudiants surpris et des parents horrifiés jusqu'à la sortie.

Il s'est jeté à l'air libre, a dévalé l'escalier, et ne s'est arrêté que derrière le clocher qu'il avait quitté quelques minutes plus tôt.

Il était hors d'haleine, en nage, et son cœur cognait comme un sourd dans sa poitrine.

Il s'est débarrassé de son sweat-shirt en essayant de retrouver son souffle, puis il a risqué un œil en direction de la boutique. Il n'y avait personne, ni le type qui l'avait surpris, ni agents de sécurité, ni vendeurs scandalisés, ni Force d'intervention spéciale.

Il avait réussi. Il n'avait jamais rien volé de sa vie. Il n'avait même jamais *envisagé* de voler quoi que ce soit, encore moins de s'enfuir à toutes jambes avec un butin (fût-il un vulgaire morceau de papier). Et il trouvait les sensations, sinon l'aventure, exaltantes. C'était le nouveau Gael Brennan ! Le fanatique de l'amour !

Le clocher a sonné cinq fois.

Sans perdre une seule seconde, il a déplié son plan et commencé à chercher fébrilement les noms en H. Horton, Hardin, Howell... aucun n'était un nom composé.

Enfin, tout en bas du plan, au sud du campus, il l'a vu – Hinton James.

C'était sa résidence. Il en était certain.

Il ne lui restait plus qu'à arriver à temps.

66.

L'auto-stop
de la dernière chance

Entre son sweat-shirt dans une main, le plan de l'université dans l'autre et son sac à dos, Gael avait du mal à tenir le rythme de sa course vers sa destination finale (qui se trouvait à vingt bonnes minutes de marche). En contournant le stade, il a été obligé de ralentir un peu. S'il continuait à cette allure, le temps qu'il trouve Sammy, il n'aurait plus la force de tenir le discours qu'il n'avait pas eu l'occasion de préparer.

— Attention ! a-t-il entendu crier derrière lui. Je passe.

Un type arrivait sur une voiturette de golf, juste derrière lui.

Il s'est immobilisé tandis qu'une idée germait dans son esprit. Une idée saugrenue. Mais il avait déjà volé une carte, renversé une étagère et réussi à s'enfuir. Il n'allait pas chipoter pour un pauvre petit geste insensé de plus ?

Alors il est resté au milieu du chemin en écartant les deux mains devant lui.

— Ooh, a dit le conducteur comme s'il avait retenu un cheval.

Gael s'est précipité pour s'accrocher au montant de la voiturette.

— Où allez-vous ? a-t-il demandé au conducteur.

Le type était en survêtement, et sa casquette affichait le logo « UNC Athletics ». Son visage était avenant.

— Au Dean Dome.

— C'est juste à côté d'Hinton James, non ?

Le type a opiné.

— Il s'est passé quelque chose ? Tu veux que j'appelle les secours, la police du campus ?

— Non, non, tout va bien, s'est dépêché de répondre Gael, ce n'est pas grave. Enfin, si, c'est grave. Mais ça va… Écoutez, il faut absolument que j'arrive à Hinton James *tout de suite.*

Le type a regardé Gael de la tête aux pieds, puis il a hoché la tête.

— Monte, alors.

Gael a sauté sur la banquette en gratifiant le conducteur de mercis fervents. Celui-ci a appuyé sur le champignon, et ils sont partis à une vitesse record.

Gael n'avait jamais commis de larcin. Il n'avait jamais fait d'auto-stop non plus. Enfin, ce n'était pas vraiment de l'auto-stop, mais il était tout de même très content de lui. Ce n'était pas à la portée de tout le monde de se faire prendre en stop sur le campus sans avoir besoin de lever le pouce.

Ils ont tourné à droite.

— Alors, a repris le conducteur, elle s'appelle comment ? Ou peut-être devrais-je dire il ? a-t-il ajouté en souriant. Aujourd'hui, tout est possible.

— Non, a dit Gael. Enfin si, tout est possible, mais c'est une fille. Comment avez-vous deviné ?

— Il est cinq heures de l'après-midi, un vendredi soir, et tu me prends quasiment en otage pour foncer vers une résidence ! a répondu le conducteur en éclatant de rire. Ça m'étonnerait que ce soit en rapport avec un devoir de philo.

Gael a souri.

— Elle s'appelle Sammy, et elle est drôlement chouette.

Ils se sont arrêtés au croisement de Manning et de Skipper Bowles.

— C'est ici que tu descends, mon gars. Ta résidence est au bout du chemin.

— Merci, a dit Gael en attrapant son sac à dos.

Le chauffeur lui a fait un clin d'œil.

— Je suis là pour ça. Allez, file la retrouver, maintenant !

67.

La fille d'à côté

e n'est qu'après le départ de la voiturette que Gael s'est rendu compte qu'il y avait *deux* chemins et, par conséquent, *deux* résidences différentes. Il a déplié sa carte, mais dans son état d'agitation, il était incapable de se repérer.

Et merde, s'est-il dit.

Il s'est élancé à droite en courant aussi vite que possible. Devant l'entrée, un étudiant à l'air moyennement sympa sous la capuche de son sweat-shirt faisait les cent pas.

— C'est ici Hinton James ? lui a demandé Gael.

— Non, c'est Craige, vieux. Hinton James, c'est là-bas.

Re-merde.

Gael a foncé en sens inverse, sans prendre le temps de le remercier.

Trois minutes plus tard, il arrivait enfin à destination. Sammy, grâce au ciel, lui avait dit un jour qu'elle habitait au dernier étage. C'était toujours ça de gagné.

Second coup de chance, des étudiants entraient et sortaient régulièrement du bâtiment, il n'avait donc pas besoin d'avoir une clef ou un code.

Il s'est engouffré à l'intérieur pour s'arrêter devant l'ascenseur, sur le bouton duquel il a appuyé au moins quinze fois de suite.

— Pas la peine de t'énerver, lui a dit une fille en justaucorps en le regardant de travers. Il ne viendra pas plus vite.

Décidant de passer outre à son air désagréable, il a tenté :

— Tu ne connais pas Sammy Sutton, par hasard ?

Elle a levé les yeux au ciel et bu une longue gorgée de sa bouteille d'eau.

— À ton avis ? a-t-elle fini par lâcher. On doit être mille à crécher ici.

Re-re-merde.

L'ascenseur est arrivé et, ignorant le mépris affiché de Miss Yoga, il est entré pour appuyer sur le bouton du dixième étage.

La montée était un calvaire. L'ascenseur s'arrêtait non seulement à presque tous les étages, mais des tas de gens entraient et sortaient, parfaitement détendus, en parlant tranquillement de leur week-end ou échangeant des blagues pourries. Certains étaient même déjà éméchés. *Magnez-vous !* avait envie de leur hurler Gael. *Vous ne voyez pas que je suis pressé ?*

L'ascenseur s'est enfin élevé vers le dernier étage. Il ne restait plus que lui dans la cabine, et il sautillait nerveusement sur place en attendant que les portes daignent s'ouvrir.

Dès qu'il a pu, il s'est précipité dehors. Ne sachant pas quel couloir prendre (le bâtiment était en croix), il a pris le premier à droite.

Une chambre était ouverte. Il a glissé la tête à l'intérieur en même temps qu'il frappait à la porte.

Quatre ou cinq types avachis par terre sirotaient de l'alcool, accompagnés par une chanson de Mumford & Sons.

— Pardon de vous déranger, mais vous ne connaissez pas Sammy Sutton, par hasard ? leur a demandé Gael sans grand espoir.

— Paye ton écot et tu auras ta réponse, a répondu un des gars.

— Hein ?

— Bois un coup.

— Ça va me rendre malade, et...

— Alors tant pis pour toi, a coupé un autre en haussant les épaules.

— Vous rigolez ? a protesté Gael. Vous ne pouvez pas simplement m'indiquer sa chambre ?

Le troisième s'est levé pour ouvrir un mini-réfrigérateur.

— Allez, entre. Si tu ne veux pas d'alcool, un jus de cornichons fera l'affaire.

Il a sorti un énorme pot du réfrigérateur et a rempli un petit verre à ras bord.

— Tiens. Tout le monde doit payer sa dîme.

Gael a pris le verre et l'a avalé cul sec malgré sa répugnance.

Son visage s'est complètement ratatiné. Si seulement Sammy savait tout ce qu'il faisait pour la trouver...

— Ça vous va ? a-t-il demandé dans un rot acide en rendant son verre.

Les gars ont applaudi.

— Vous me dites où est sa chambre, maintenant ?

— Désolé, vieux, on n'en sait rien. On ne la connaît même pas, ta nana !

— Bande d'abrutis, a lâché Gael en faisant demi-tour avant de commettre l'erreur d'en frapper un (ils semblaient tous nettement plus forts que lui).

Dans le couloir suivant, une autre chambre était ouverte. Elle était pleine de filles, assises sur chaque surface disponible.

— Oh, un mec ! s'est exclamée la première qui l'a vu.

— Est-ce que vous savez si…

Mais elle ne l'a pas laissé terminer.

— Tu ne pouvais pas mieux tomber. On a justement besoin d'un avis masculin.

— Jessica ! a hurlé une autre fille, perchée sur un lit en hauteur.

Mais Jessica a balayé son cri de protestation d'une main ferme.

— Voilà l'affaire. Madison a rencontré un type à une soirée, hier, un type qui est dans le même cours d'histoire qu'elle et qui l'a ajoutée comme amie sur Facebook. Et ce matin, il lui a envoyé ce message, qui dit…

Elle a pris le téléphone des mains de Madison.

— Je cite : « Est-ce que tu as la biblio d'histoire ? »

Elles ont toutes dévisagé Gael.

— Oui. Et alors ?

Jessica a levé les yeux au ciel.

— Alors, est-ce de la drague ou pas ? Moi, je pense que oui, parce que je sais que le coloc du mec en question est dans le même cours d'histoire qu'eux. Pourquoi demander la biblio à Madison alors qu'il peut la demander *directement* à son coloc ?

Madison a soupiré.

— On a parlé d'un tas de choses passionnantes pendant la soirée. Je lui ai dit que j'avais super envie d'aller voir le Breakfast Club, tu sais, le groupe qui reprend les tubes des années 80 et qui passe au Sigma Chi, ce soir. Ça lui donnait une super occasion de m'inviter, non ? Et, au lieu de ça, il me demande la biblio d'histoire ?

Gael a haussé les épaules.

— Peut-être qu'il tâte le terrain, a-t-il suggéré.

Jessica et quelques filles ont poussé des cris de joie.

— Qu'est-ce que je disais, hein ? s'est rengorgée Jessica.

Même Madison avait l'air enchantée.

— Il attend peut-être ta réponse pour parler du concert, a ajouté Gael.

Redoublement d'acclamations.

— Merci, lui a dit Jessica.

— De rien. À votre tour de m'aider. Est-ce que vous connaissez Sammy Sutton ?

Il a regardé, avec une cruelle déception, les huit filles hocher négativement la tête, et il a fait demi-tour.

Il n'avait plus de temps à perdre.

Les tentatives suivantes se sont pourtant avérées aussi infructueuses. Il a interrompu des filles qui se maquillaient pour la soirée, une bande de copains qui débattaient de la quantité de fromage à mettre sur une pizza, un groupe agglutiné autour d'un ordinateur pour voir une vidéo sur YouTube.

Personne ne connaissait Sammy Sutton.

Il était sur le point d'abandonner quand il est arrivé au fond du couloir. Un gars faisait des tractions sur une barre fixée dans l'encadrement de sa porte.

— Tu connais Sammy Sutton ? lui a demandé Gael.

Le gars s'est aussitôt laissé tomber.

— Oui, a-t-il répondu en s'essuyant les mains. Elle habite à cet étage.

Gael l'aurait embrassé.

— Tu sais où, exactement ?

— Tu prends cette porte, tu traverses jusqu'à l'autre couloir, tu tournes à droite, et c'est le deuxième ou troisième groupe de chambres, je ne suis pas sûr.

Il a dû voir la confusion et le désespoir sur le visage de Gael, parce qu'il a éclaté de rire.

— Viens, je t'accompagne.

Tandis qu'ils remontaient le couloir, il lui a demandé :

— Tu ne cherches pas les embrouilles, au moins ?

— Non, on est amis.

— C'est par là.

Ils ont tourné à droite et, au bout d'un nouveau couloir, le gars lui a montré une chambre.

— C'est celle-ci. Mais je ne sais pas si elle est là.

— Merci, vieux, lui a dit Gael.

— Pas de quoi, lui a répondu l'autre en s'en allant.

Gael a regardé la porte couverte de photos marrantes épinglées autour d'un tableau blanc sur lequel était écrit :

De quel film est tirée cette réplique ? (Interdit de google-iser !)

Gael a éclaté de rire. Il n'y avait que Sammy pour décorer sa porte avec des répliques de cinéma ! Puis il a lu la citation :

« Je ne suis pas un concept. Juste une pauvre fille déboussolée qui cherche sa paix intérieure. »

Suivait toute une série de réponses, écrites à la main.
Punch-Drunk Love
Lost in Translation
Happiness Therapy

Mais Gael savait qu'elles étaient toutes à côté de la plaque.

Il savait aussi que Sammy pensait à lui. Elle *devait* penser à lui. Sinon, elle n'aurait pas choisi ce film.

Il a pris le marqueur accroché au tableau et a écrit :

Eternal Sunshine of the Spotless Mind

Après quoi, il a frappé.

68.

Comment se faire larguer
en dix minutes

G ael a entendu des pas derrière la porte, et son cœur s'est arrêté de battre. Si c'était elle, qu'allait-il lui dire ? *Ne t'en va pas ! Oublie ton ex ! Sors avec moi !* Tout ce qui lui venait en tête lui semblait affreusement ringard et pathétique.

Tant pis. Il était trop tard pour faire demi-tour. De toute façon, il n'en avait pas envie.

La porte s'est enfin ouverte, et il s'est senti bête : ce n'était pas Sammy, mais une rousse, parfaitement inconnue.

Sa coloc, s'est-il dit.

— Oui ? lui a-t-elle demandé.

— Heu, est-ce que Sammy est là ?

— De la part de qui ? a-t-elle voulu savoir en s'appuyant contre la porte.

— Gael. Son ami de... Enfin, elle s'occupe de ma petite sœur, et...

Il se sentait lamentablement rougir quand elle a dit :

— Ah, c'est toi.

Il se disait que son sourire était bon signe, quand il l'a vue se rembrunir.

— Tu viens de la louper. Elle est partie il y a dix minutes, et elle était plutôt pressée. Tu as essayé de l'appeler ? Enfin, je crois que son téléphone est à plat.

— Oui, je sais, a dit Gael, je suis tombé sur sa messagerie.

— Essaie encore. On ne sait jamais, elle pourra peut-être le charger à l'aéroport.

Il a reculé, découragé.

— Bon, merci quand même.

— De rien, Gael. Bonne chance, a-t-elle ajouté avec un nouveau sourire avant de fermer la porte.

Il est resté planté là, incapable de bouger.

Dix minutes. Il était arrivé dix minutes trop tard. Dix malheureuses minutes qu'il avait gaspillées à boire du jus de cornichons et analyser des textos.

Sammy lui avait dit que le timing était déterminant.

Maintenant, il se rendait compte à quel point.

69.

Conseil d'ami (version Piper)

Gael se sentait trop abattu pour rentrer chez lui à pied. Alors il a pris le bus. Sur le trajet, il a tenté, à deux reprises, d'appeler Sammy. La seconde fois, il lui a même laissé un message pour lui dire, d'une voix de taré absolu : « Il faut absolument que je te parle. » En vain. Son téléphone est resté silencieux.

Il est arrivé chez lui dans un état pitoyable. Il était trop tard. Elle allait atterrir à Baltimore, John allait sortir le grand jeu pour la reconquérir, et tout allait repartir comme avant. Ce qu'il avait partagé avec Sammy – ou presque partagé – ne serait plus qu'un lointain souvenir.

Sa mère et sa sœur étaient dans la salle à manger, absorbées par la création d'un diaporama d'Halloween.

Sa mère lui a souri timidement tandis que Piper le gratifiait d'un « salut ! » enthousiaste. Comme il n'avait pas la force de leur répondre, il est passé devant elles sans un mot. Il n'avait pas non plus la force de supporter de la compagnie.

Dans sa chambre, il a jeté son sac à dos sur son lit et, après s'être enfermé à clef, il a glissé *Eternal Sunshine* dans son lecteur Blu-ray. Ce film allait sans doute le déprimer, mais c'était ce qu'il voulait.

Quelqu'un a frappé et tenté d'ouvrir la porte.

— Je veux me reposer, je suis fatigué.

— Laisse-moi entrer ! a crié sa sœur en secouant la poignée.

— Non, Piper, fiche-moi la paix !

La poignée s'est arrêtée de bouger, et il a entendu sa sœur dégringoler l'escalier. Il a lancé son film.

Mais moins d'une minute plus tard, c'étaient des tambourinements frénétiques qui secouaient sa porte.

Il a sauté de son lit et ouvert brutalement.

— Nom de Dieu ! Tu ne peux pas me laisser tranquille, non ?

Piper l'a regardé en dressant le menton.

— Maman dit que tu n'as pas le droit de t'enfermer dans ta chambre, que ça peut être dangereux. Elle dit aussi que ce n'est pas bien de jurer, même si on ne va pas à l'église. Ce n'est pas gentil pour ceux qui y vont.

— Maman n'est pas parfaite. Et moi non plus. Qu'est-ce que tu veux ?

— Maman veut savoir si tu m'accompagnes chez papa, ce soir.

— Je ne sais pas, a répondu Gael.

Il a voulu fermer sa porte, mais elle s'est appuyée dessus de toutes ses forces. Alors il l'a laissée entrer.

— Tu ne peux pas ne pas venir *encore*. Tu l'as déjà fait la semaine dernière. Et celle d'avant. Je m'ennuie, sans toi.

— Très bien, a dit Gael, je vais t'accompagner et on va s'éclater comme des malades. Tu peux me laisser, maintenant, s'il te plaît ?

Elle s'est assise sur son lit.

— Tu as l'air triste.

— Je n'ai pas envie de parler, a-t-il dit en se jetant sur son lit.

— Donc tu *es* triste, a observé Piper, parce que tu n'as pas dit le contraire.

— Et alors ?

— Alors dis-moi pourquoi. Je sais très bien écouter, c'est papa qui le dit.

Parce que sa sœur pouvait se montrer si adorable parfois, ou parce qu'il avait désespérément besoin de parler, il a tout déballé. Tout. La brusque prise de conscience de ses sentiments pour Sammy, le vol du plan dans la boutique, le trajet jusqu'à sa résidence, et enfin, l'échec complet de sa tentative de l'empêcher de partir rejoindre son ex.

La mâchoire de Piper s'était décrochée en écoutant son frère faire le récit de ses aventures échevelées mais, dès qu'il s'est tu, sur un soupir accablé, elle l'a fermée pour croiser les bras et l'observer d'un regard pointu.

— Quoi ? a-t-il demandé.

Elle a levé les bras au ciel.

— Qu'est-ce que tu fais ici, au lieu de lui courir après ?

— C'est ce que je viens de faire ! Et je suis arrivé trop tard. C'est un signe, on n'est pas fait pour être ensemble. De toute façon, ça aurait fini par partir en couille.

Elle a froncé les sourcils.

— Il ne faut pas parler comme ça, c'est malpoli.

— OK, ça aurait fini par partir en *sucette*. Ça te va ?

— Oui, mais ce n'est pas vrai.

— Ah oui ? Regarde papa et maman ! Ça finit toujours mal. Il n'y a que dans les films de Disney que les gens s'aiment jusqu'à la fin de leurs jours. Tu parles d'une blague !

Elle a croisé les bras.

— Maman dit qu'elle aimera toujours papa, seulement c'est différent, maintenant.

— Ah, oui, c'est ce qu'elle dit ? a raillé Gael.

— Parfaitement. Je lui ai demandé si elle était triste de s'être mariée avec papa, parce qu'elle pleure beaucoup, et elle m'a dit que si elle devait recommencer, elle ferait tout exactement pareil. Parce que quand on a la chance de rencontrer quelqu'un d'aussi super que papa, on fonce.

— Non, a dit Gael, elle n'a pas pu dire ça.

— Si, elle l'a dit !

Il a regardé sa sœur.

— Tu es sûre ?

Elle a opiné, et il est resté silencieux un moment.

D'un côté, les propos de sa mère lui faisaient du bien. Ils ne changeaient rien au désastre des derniers mois, mais ils prouvaient au moins que tout n'avait pas toujours été désastreux.

D'un autre côté, ils n'étaient pas rassurants du tout.

On pouvait parfaitement aimer une personne idéale et souffrir quand même *horriblement*.

Il souffrait pour son père. Et pour sa mère, d'ailleurs.

Il souffrait aussi pour lui, et pour Piper, et pour tout le monde.

Il ne voulait plus souffrir. Mais il savait, tout au fond de lui, que c'était un risque inévitable. Aimer revenait à déposer son cœur entre les mains de quelqu'un d'autre. Quelqu'un qui pouvait le briser. Comme Anika, par exemple. Ou quelqu'un qui pouvait, au bout de vingt ans, changer d'avis. Comme sa mère.

Mais passer à côté de l'amour était peut-être pire que souffrir, se disait-il. *Mason avait peut-être raison — il valait*

peut-être mieux aimer et prendre le risque de souffrir que passer
complètement à côté.

— Sammy t'a dit avec quelle compagnie elle partait ?
a-t-il demandé à sa sœur.

— Non.

Il a soupiré.

Évidemment. Pourquoi Sammy aurait-elle donné un
détail pareil à sa petite sœur ?

— Mais maman doit le savoir, a continué Piper. C'est
elle qui l'a conduite à l'aéroport. Elle venait de revenir
quand tu es rentré.

Il a bondi sur ses pieds et enfilé ses baskets.

— Je t'aime, Piper, a-t-il dit en se précipitant vers
la porte.

— Je sais, a-t-elle répondu, inébranlable.

Il n'aurait jamais dû lui montrer *Star Wars*.

70.

Rush hour

La mère de Gael est quasiment tombée de sa chaise en apprenant, 1) que son fils était amoureux de Sammy, et 2) qu'il partait à l'assaut de l'aéroport au nom d'un acte héroïque parfaitement insensé. Toutefois, non seulement elle lui a donné le numéro de vol de Sammy, mais elle a envoyé Piper *illico presto* chez les voisins pour le conduire elle-même en voiture.

Ils n'ont pas beaucoup parlé pendant le trajet. Sa mère, zigzaguant pied au plancher entre les voitures, conduisait comme une folle.

Il était six heures quarante-cinq lorsqu'ils sont arrivés au terminal de Raleigh-Durham.

Pour se retrouver coincés dans la circulation.

— Laisse tomber, a dit Gael, je vais courir.

Il a tendu la main vers la portière.

— Je t'aime, Gael.

Il s'est retourné.

Elle a pris une courte inspiration.

— Je veux que tu saches que j'aime aussi ton père et ta sœur. Et que je suis désolée de vous faire subir tout ça.

Sa voix s'est brisée, mais elle s'est vite reprise.

— Je vous aime plus que tout au monde. S'il te plaît, ne l'oublie pas. Il se trouve seulement que les gens ont besoin d'autre chose, parfois.

Gael a secoué la tête. Il n'avait plus une seconde à perdre, mais il voulait désespérément entendre ce que sa mère avait à lui dire. Il se demandait encore pour quelle raison valable elle avait quitté son père.

— Qu'est-ce que ça veut dire, autre chose ? a-t-il demandé.

Elle a soupiré.

— Tu vas bientôt finir l'école, et ça va aller encore plus vite pour ta petite sœur. Ton père est satisfait. Il a tout ce qu'il veut, vous, Chapel Hill, son travail...

— Et toi ? lui a demandé Gael en sentant son menton se mettre à trembler. Qu'est-ce que tu veux ? Partir et ne plus jamais nous voir ?

— Bien sûr que non ! a-t-elle protesté en secouant vigoureusement la tête. Partir, oui, mais certainement pas pendant des années. Je ne sais pas, bouger un peu. Voyager. Emmener Piper passer un été en France. Quitter l'enseignement, faire autre chose.

— Pourquoi quitter papa ? Tu peux très bien faire tout ça avec lui, non ?

Elle a regardé ses mains puis levé les yeux sur lui.

— Non. Parce que ce n'est pas ce qu'il veut. Il a besoin de quelqu'un qui veut rester là. Vous m'avez comblée pendant des années et, pendant des années, j'ai vraiment cru que ça suffirait. Je vous aime tellement que je me sens terriblement coupable de penser à moi, mais... j'ai besoin de vivre, moi aussi.

Il a dévisagé sa mère. La femme qui avait toujours été là pour lui ; la femme qui avait pris la décision inattendue de vivre sa vie ; la femme qu'il n'avait, jusqu'à présent, jamais vraiment considérée comme une personne à part entière, avec des aspirations, des désirs qui ne tournaient pas exclusivement autour du fait qu'elle était sa mère.

(Angela s'adressait à Gael, mais ses propos m'étaient aussi, d'une certaine façon, destinés. En matière d'amour, Angela Brennan était une Rêveuse[1] et peut-être qu'Arthur n'était plus son rêve. Ce qu'ils partageaient était magnifique, mais leur amour n'était peut-être pas destiné à durer jusqu'à la fin de leurs jours. Peut-être que je n'aurais rien pu faire, même si j'avais été plus attentif. C'était peut-être comme ça que les choses étaient censées se passer...)

— Je dois vraiment y aller, maman.

(Je voulais tellement qu'il lui pardonne, tout à coup. Parce que, tout à coup, je lui avais pardonné.)

Elle a souri.

— Je sais. Je voulais seulement te dire ça. Je t'attends au parking. Prends ton temps.

Il est descendu en vitesse et a claqué la portière derrière lui. Sa mère a commencé à s'éloigner.

Il était presque devant les grandes portes coulissantes quand il a fait demi-tour pour se précipiter vers la voiture de sa mère.

---

1. Rêveu(se)r : celui ou celle qui, dans sa quête perpétuelle d'absolu et de perfection, considère l'amour comme l'ultime aboutissement de soi. Peut entraîner le besoin constant d'améliorer sa relation amoureuse, celui d'avoir des projets d'avenir et le découragement quand celui-ci ne s'avère pas exactement tel qu'on l'avait envisagé. Peut aussi aboutir sur des liens d'une incroyable profondeur sentimentale et affective.

(Je n'ai eu qu'à lui donner un minuscule coup de coude.)

Il a tapé sur la vitre.

— Tu as oublié ton téléphone, chéri ? lui a-t-elle demandé en baissant sa vitre.

— Non, je voulais seulement te dire que je t'aime aussi, maman.

71.

Freestyle – première partie

G ael s'est engouffré dans le terminal deux, le cœur battant.

Miraculeusement, il n'y avait aucun client devant le comptoir de la compagnie aérienne. Peut-être que pour une fois quelqu'un veillait sur lui, a-t-il pensé.

(Il y a toujours eu quelqu'un pour veiller sur toi, Gael.)

Il s'est approché. La stratégie qu'il avait élaborée avec sa mère pendant le trajet consistait à acheter un billet sur le même vol que Sammy pour pouvoir franchir la sécu-rité, accéder au sas d'embarquement et enfin, il l'espérait, l'arrêter à temps. Il disposait d'environ trois cents dollars sur son compte, et sa mère lui en avait donné cent de plus. Il priait pour que cette somme suffise.

L'employée, qui devait avoir la trentaine, était soi-gneusement maquillée. Ses sourcils arqués lui donnaient l'air joyeux, et c'est avec un sourire avenant, bien que formel, qu'elle lui a demandé :

— Bonjour. Comment puis-je vous aider ?

— Je voudrais une place sur le vol de dix-neuf heures quarante-cinq pour Baltimore, a-t-il répondu en s'efforçant de paraître calme.

— Vous arrivez au dernier moment, dites-moi !

Son sourire de circonstance s'était détendu.

— Voyons s'il reste des sièges.

Ses doigts ont commencé à courir sur le clavier, tandis que ses sourcils montaient et descendaient à chaque activation de la touche « entrée ».

— Vous avez de la chance, a-t-elle fini par dire. Il reste une place. Vous n'avez rien contre la classe économique ?

Il a poussé un énorme soupir de soulagement. Il n'osait pas imaginer combien coûtait un billet de première classe.

— Rien du tout, a-t-il répondu. C'est parfait.

— Formidable. Cela nous fait donc un total, tous frais et taxes compris, de mille deux cent six dollars et trente-trois *cents*.

Il en est resté ahuri.

— C'est le prix en classe éco ? a-t-il demandé après avoir retrouvé l'usage de la parole. Pour un aller simple ?

Elle a opiné, mais son sourire avait perdu de sa légèreté.

— Souhaitez-vous réserver cette place, monsieur ?

— Vous n'avez pas moins cher ?

Il s'était douté qu'un billet acheté à la dernière minute ne serait pas donné, mais *mille dollars* ? C'était du délire.

— C'est la dernière place, monsieur.

Derrière lui, une file d'attente s'était formée et on commençait à s'impatienter. Comme l'employée, qui n'était plus du tout d'humeur joyeuse.

— Souhaitez-vous réserver cette place, monsieur ? a-t-elle répété.

Il a hésité. Qu'allait-il pouvoir faire *maintenant* ?

— Je suis sûr que mon amie n'a pas payé autant. Je croyais...

Sa voix s'est éteinte. Le sourire de l'employée avait complètement disparu. Elle le dévisageait comme une institutrice fâchée.

— Nous ne sommes pas une compagnie de charter, monsieur. Et c'est un achat de dernière minute.

— Je sais, mais...

— Voulez-vous ce billet ou non, monsieur ?

C'est alors qu'il a eu une idée, une petite lueur d'espoir. Il n'avait pas besoin d'aller à Baltimore. Il lui fallait seulement un accès au terminal.

L'homme dans son dos s'est mis à tousser bruyamment.

— Non, a répondu Gael. Oubliez ce vol. En avez-vous un autre, moins cher, qui part ce soir ?

Elle a poussé un soupir.

— Pour quelle destination ?

— Peu importe.

— Peu importe ?

— Oui. Écoutez, j'ai seulement besoin de parler à mon amie, alors peu importe la destination.

L'hôtesse a croisé les bras en s'adossant à son siège.

— *Peu importe* n'est pas exactement une destination que je peux entrer dans mon logiciel, monsieur.

— Non mais, ce n'est pas vrai ! a murmuré une voix agacée dans son dos.

L'employée le dévisageait, attendant sa réaction.

— D'accord. Charlotte ? a-t-il suggéré.

Elle s'est remise au travail et, après quelques secondes, elle a annoncé :

— Il y a un vol à vingt et une heures pour Charlotte.
Voyons un peu le prix, a-t-elle ajouté, narquoise. Huit
cent quatre-vingt-douze dollars et cinquante-deux *cents*.
Merde.

— Washington ? a demandé Gael en regardant derrière lui.

L'homme qui avait toussé le fusillait du regard.

— Tu vas nous faire rater nos vols, abruti !

Il est revenu à l'employée qui faisait une nouvelle
recherche.

— Washington, neuf cent trente-quatre…

— Laissez tomber, lui a dit Gael.

Il est parti sous les applaudissements nourris de toute
la file derrière lui.

72.

Sammy Sutton, déconnectée

S ammy, assise près de la porte d'embarquement C7, était presque certaine d'avoir oublié quelque chose. Elle avait fait son sac à toute allure et elle était partie en avance. Mais entre les hésitations de sa coloc (soufflées évidemment par moi) et le trajet avec Mrs Brennan, elle était passablement... troublée.

Elle a ouvert son sac et vérifié, une fois de plus, son contenu. Brosse à dents, OK. Rasoir, OK. Maquillage, OK. Jolis sous-vêtements, OK. Pilule, OK.

Elle s'est demandé si John n'était vraiment sorti qu'avec une seule fille à une seule soirée, ou s'il avait fait plus.

Une réflexion évidente lui est venue en tête : Gael, lui, ne l'aurait jamais – *jamais* – trompée. Il n'avait tout simplement pas ça dans le sang. Ce n'était pas son genre.

Elle l'a pourtant repoussée. Si elle partait, ce n'était pas pour encourager le béguin absurde qu'elle éprouvait pour *un élève de terminale*. Elle partait pour restaurer sa confiance *en John*. Remettre leur histoire sur les rails.

N'empêche, elle était sûre d'avoir oublié quelque chose.

Son téléphone à plat n'arrangeait pas les choses, surtout que son chargeur avait fini par rendre l'âme.

Elle ne s'inquiétait toutefois pas trop : elle était sûre que John l'attendrait à l'aéroport, et il avait certainement un chargeur à Baltimore.

De toute façon, surfer sur Internet ne lui aurait pas calmé les nerfs.

Alors elle a ouvert *Candide* et tenté d'oublier l'espèce d'angoisse qui voulait l'étrangler.

73.

Freestyle – deuxième partie

Gael, de son côté, avait élaboré une nouvelle stratégie.

Il n'avait peut-être pas les moyens d'acheter un billet d'avion, mais il était peut-être capable de franchir quand même la sécurité. Il avait sa carte d'identité et ne transportait aucun bagage, pas même un sac. Il avait traversé le détecteur de métal sans problème. Tout ce qu'il avait à faire, c'était seulement convaincre quelqu'un de le laisser passer.

Il était dix-neuf heures quinze. Il n'avait plus beaucoup de temps, mais il devait au moins essayer.

Il s'est approché du point de contrôle comme si de rien n'était. Il a montré sa carte d'identité. La vigile l'a vérifiée.

— Carte d'embarquement ? a-t-elle demandé.

Il a pris son air le plus jeune et le plus innocent.

— C'est mon père qui l'a, et il est déjà passé. On a été séparés.

Elle a fait non d'un mouvement de tête imperturbable.

— Vous ne pouvez pas passer sans carte d'embarquement. Voyez avec la compagnie qui vous a délivré votre billet.

Il s'est mordu les lèvres.

— Je n'ai pas le temps, l'avion va bientôt décoller, je dois absolument passer.

Elle a haussé les épaules.

— Ce n'est pas mon problème, monsieur. Poussez-vous, s'il vous plaît.

Merde.

Il a changé de tactique.

— D'accord, a-t-il dit. Écoutez, en fait, j'ai seulement besoin de passer pour parler à quelqu'un. C'est extrêmement important. Je dois absolument lui parler avant qu'elle ne prenne l'avion. C'est urgent et son téléphone est éteint. Si vous me laissez passer, je suivrai tous les contrôles, comme si j'avais une carte d'embarquement – de toute façon, je ne risque pas de monter dans un avion si je n'en ai pas –, et comme ça, je pourrais la voir et lui dire ce que je dois absolument lui dire.

La femme a éclaté de rire et l'a regardé, un immense sourire aux lèvres.

Waouh, s'est dit Gael. Il avait vraiment réussi ?

— Pas de problème, monsieur. Répondez à une seule question, et je vous laisse passer.

La vache. Les règles avaient dû changer. Qui sait, on n'avait peut-être même plus besoin de mettre ses liquides dans des sacs plastique ?

— Bien sûr, a-t-il dit.

— Pouvez-vous me dire ma date de naissance, monsieur ?

— Votre date de naissance ?

— Oui, ma date de naissance.

— Je ne comprends pas. Comment pourrais-je la connaître ?

Le sourire de la vigile s'est élargi.

— Je ne sais pas, monsieur, mais comme vous semblez croire que je suis née *hier*, je pensais que vous n'auriez aucun mal à me la donner.

Re-merde.

— Suivant.

Il s'est écarté en secouant misérablement la tête. Quel imbécile il avait été d'imaginer que ses ruses, ou sa sincérité, pouvaient marcher. Il était vraiment trop...

C'est alors qu'il a vu une ouverture.

Une véritable ouverture.

Il manquait une corde entre deux poteaux qui séparaient les gens déjà contrôlés et qui faisaient la queue jusqu'aux portails de détection. Comme si un employé avait oublié de la remettre après son passage.

Il a jeté un regard vers la vigile occupée par une famille entière, avec poussette, nourrisson hurlant et tout le bazar.

C'était sa chance.

Il a franchi l'ouverture d'un pas nonchalant et s'est placé, en essayant de ne pas trop réfléchir à son audace, derrière un couple qui se faisait les yeux doux.

Il se disait qu'il avait vraiment réussi, quand il a entendu :

— Monsieur, reculez immédiatement !

Et :

— Alerte !

Avant qu'il ait le temps de faire un geste, deux agents de la sécurité de l'aéroport, deux types gigantesques et effrayants, l'encadraient.

— Attention, pas de geste brusque. Suivez-nous.

Merde, merde, et triple merde.

74.

Miracle de la technologie

S ammy avait bouclé sa ceinture. La présentation des consignes de sécurité était terminée et l'avion était en piste, prêt au décollage.

Plus moyen de faire demi-tour, maintenant.

Tant mieux, s'est dit Sammy. Le plus dur était fait. Il suffisait parfois seulement de lancer les dés, ensuite on n'avait plus qu'à se laisser aller. Elle ne pouvait plus changer le cours des choses et elle était contente. Contente d'avoir pris sa décision, contente d'être en route pour voir John.

Elle a attrapé son sac pour prendre un chewing-gum, mais il lui a glissé des mains, et son téléphone s'est échappé pour tomber à ses pieds.

Curieusement, l'écran s'est allumé.

Elle l'a ramassé.

Non seulement l'écran s'était allumé, mais la batterie affichait une charge *à quatre-vingt-sept pour cent.*

Elle a regardé l'appareil, les yeux écarquillés.

Comment était-ce possible ? Elle n'était pas complètement folle...

Sammy se disait parfois que son arrière-grand-mère veillait sur elle depuis la tombe ; elle aimait bien aussi l'idée qu'il y avait de la vie sur d'autres planètes et n'était pas hostile à se croire parfois dotée d'une perception extrasensorielle. Mais s'il y avait un phénomène surnaturel auquel elle n'accordait aucun crédit, c'était bien la capacité de son téléphone à se recharger *tout seul*. L'état de sa batterie était le drame de sa vie.

Et pourtant, il était là, chargé presque à bloc, et prêt à lui rendre service.

Elle avait reçu trois textos.

Le premier, envoyé juste après dix-sept heures, venait de sa coloc, Lucy.

Devine qui vient de débarquer, prêt à te déclarer sa flamme ?

Le suivant, également de Lucy, avait été envoyé dix minutes plus tard.

Je t'ai dit que John n'était pas le bon choix.

Le dernier, stupeur, venait de Piper. Piper qui n'avait que ses parents, Gael et Sammy dans ses contacts. Piper qu'elle n'avait jamais vue envoyer un seul texto.

Coucou Sammy, c'est Piper, tu ne devrais peut-être pas prendre l'avion, ce soir, je dis ça comme ça.

On l'avait aussi appelée trois fois, et elle avait un message vocal.

Avant qu'elle ait le temps de vérifier qui l'avait appelée, l'hôtesse de l'air se penchait vers elle.

— Excusez-moi, mademoiselle, vous devez éteindre votre téléphone.

— Une seconde, s'il vous plaît.

L'hôtesse lui a retenu la main.

— Nous sommes déjà sur la piste, mademoiselle. Vous devez l'éteindre *tout de suite*.

Autour d'elle, les voyageurs tendaient le cou pour la dévisager.

— Je n'en ai que pour une seconde, a insisté Sammy.

— Mademoiselle, ne m'obligez pas à le répéter une troisième fois.

— Mais...

Au lieu de terminer sa phrase, Sammy a appuyé sur l'icône du téléphone.

Les appels venaient tous de Gael.

Comme le message.

— Je vous demande, pour la troisième fois, de couper votre téléphone, a répété l'hôtesse de l'air.

— Non, a répondu Sammy. Je ne vous demande qu'une malheureuse seconde.

L'hôtesse s'est tournée vers une de ses collègues.

— J'ai un passager récalcitrant.

Un message s'est aussitôt fait entendre, appelant tout personnel disponible à se diriger à l'arrière de l'avion.

Des bruits de pas précipités ont couru sur la moquette.

Sammy a levé son téléphone à son oreille.

L'hôtesse, plus rouge que son blazer, est revenue à la charge.

— Mademoiselle, si vous ne coupez pas votre téléphone tout de suite, nous allons être obligés de vous débarquer.

Sammy ne l'a pas écoutée.

Elle n'entendait que la voix nerveuse et embarrassée de Gael.

L'équipage pouvait la débarquer, et l'hôtesse pouvait hurler toutes les menaces qu'elle voulait, elle s'en fichait complètement.

De toute façon, il n'était plus question qu'elle reste dans leur fichu coucou.

75.

Vous avez dit
concours de circonstances ?

G ael était enfermé dans les bureaux de la sécurité depuis quarante-cinq minutes. Il était plus de vingt heures. L'avion de Sammy avait décollé, et il était coincé là, seul et menotté, probablement soupçonné d'acte de terrorisme. Sa mère devait être morte d'inquiétude.

On lui avait confisqué son téléphone, il ne pouvait donc pas la prévenir et n'avait aucun moyen de se distraire de la perspective terrifiante d'être transféré à Guantanamo.

La porte s'est brusquement ouverte et un homme à moitié chauve, au regard fatigué et au ventre protubérant est entré dans la pièce, armé d'un calepin. Il a observé Gael de la tête aux pieds et il a ouvert la bouche. Mais au moment où il allait parler, des voix se sont élevées dans le couloir. Il est ressorti, en tirant la porte sur lui, si bien que Gael ne voyait plus que le bout de ses doigts.

Avaient-ils été chercher quelqu'un pour le faire parler ? s'est-il demandé avec angoisse.

— Un autre ? a dit l'homme. Décidément, cette génération Y est une vraie plaie, pire que les terroristes.

Il a entendu une voix étouffée.

— Comment ça, l'autre pièce est fermée ? En rénovation ? Ben voyons ! Et Mike n'est pas là ? Et où voulez-vous que je la mette, hein ?

Nouvelle réponse inaudible.

— Elle a l'air dangereuse ?... Très bien, amenez-la ici.

La porte s'est de nouveau ouverte et Gael a été tellement stupéfait qu'il en est presque tombé de sa chaise.

Debout dans l'encadrement de la porte se trouvait... Sammy Sutton.

Il a failli en avoir une attaque.

Elle était menottée, elle aussi, mais contrairement à lui, elle semblait parfaitement à son aise.

Elle a eu un hoquet en le découvrant à son tour, mais sa stupeur a vite été remplacée par le plus adorable des sourires.

— Salut, a-t-elle dit avec malice.

— Salut, a répondu Gael.

L'homme les a dévisagés tour à tour.

— Vous vous connaissez ?

Gael s'est empressé de secouer la tête et Sammy l'a imité.

L'homme a froncé les sourcils, tiré une chaise vers la table et dit à Sammy :

— Asseyez-vous, je vais chercher un collègue et trouver un endroit où vous mettre.

— Pas de problème, a-t-elle répondu.

Elle s'est assise avec un regard interrogateur vers Gael.

— Et ne vous avisez pas de conspirer dans mon dos, les a prévenus l'agent en partant vers la porte. Un vendredi soir, en plus, a-t-il marmonné en disparaissant.

Sammy s'est assurée que la porte soit fermée avant de se tourner vers Gael.

— Si je m'attendais à te trouver là...

Elle avait posé ses mains menottées juste à côté de celles de Gael sur la table.

— Et moi donc !

Ils se sont penchés l'un vers l'autre en même temps ; ils étaient si proches que Gael en avait le tournis.

— Alors, a-t-elle repris en approchant irrésistiblement les mains des siennes, qu'est-ce que tu fais ici ?

Il a repris son souffle.

— J'ai voulu forcer le barrage de sécurité pour t'empêcher de prendre l'avion.

Leurs mains se sont touchées et il s'est mis à tracer des cercles au creux de sa paume. Il se sentait bouillir, tout à coup.

— Et toi ? a-t-il demandé d'une voix étranglée.

— Moi ?

Un sourire malicieux s'est étiré sur ses lèvres.

— Mon téléphone s'est miraculeusement remis en marche, et disons que je n'ai pas été ultra coopérante quand l'équipage a voulu m'interdire d'écouter ton message.

Il s'est senti rougir.

— J'aurais préféré que tu ne l'entendes pas. Il était super nul.

Elle a ri et s'est encore approchée.

— Je n'en attendais pas moins !

— Eh, a-t-il protesté sans reculer d'un millimètre, ce n'est pas très gentil.

Ils étaient si proches qu'elle pouvait se contenter de murmurer.

— Je suis sûre que la gentillesse n'est pas ce que tu préfères chez moi, Gael Brennan.

— Bien vu, a-t-il dit en achevant de réduire l'espace qui restait entre eux.

L'instant d'après, il posait les lèvres sur les siennes.

Et c'était démentiel.

Il éprouvait exactement ce qu'il avait espéré, tout ce qu'il attendait, et même plus que ce qu'il aurait jamais osé imaginer.

C'était elle. Il en était certain, cette fois…

Elle a reculé.

— Pouah ! Tu sens le cornichon !

Il a éclaté de rire.

— Oh, c'est une très longue histoire.

— J'ai hâte de l'entendre.

Il a recommencé à l'embrasser, et c'était tellement merveilleux, si enivrant, qu'il n'a même pas entendu la porte s'ouvrir.

— Alors là, c'est le pompon ! s'est exclamé leur garde.

76.

Dernière déclaration d'Amour

Alors, que pensez-vous de ce dénouement ? Pas mal, hein ?

Vous vous demandez peut-être *jusqu'à quel point* je suis intervenu pour obtenir le rapprochement final de ces deux jeunes gens… Laissez-moi vous éclairer.

Il se peut que je sois responsable de la résurrection miraculeuse du téléphone de Sammy. Et j'ai peut-être œuvré pour qu'une pancarte FERMÉ POUR RÉNOVATION soit posée sur la porte de la seconde salle d'interrogatoire du terminal deux. J'admets être également à l'origine de deux ou trois astuces supplémentaires qui n'ont pas besoin d'être détaillées ici (je tiens tout de même à conserver une part de mystère). Mais c'est tout.

De toute façon, après la confusion que j'avais créée, c'était le moins que je pouvais faire.

Je ne pourrai jamais raviver la flamme entre les parents de Gael, mais au fond, il était peut-être écrit qu'elle devait s'éteindre. Peut-être, comme Piper l'a sagement rappelé à Gael (et à moi), que l'amour qu'ils partageaient maintenant, bien que différent, était aussi fort. La fin heureuse que j'avais pour eux dans mes cartons n'était peut-être pas exactement celle que j'avais supposée.

Si cette débâcle m'a appris quelque chose, c'est bien que je ne sais pas tout.

N'empêche, pour Sammy et Gael, j'ai réussi.

Ils sont sur les rails et leur idylle peut s'épanouir.

Je n'ai plus qu'à attendre la sortie du film de Gael. Elle n'aura lieu que dans une vingtaine d'années, mais, croyez-moi, je suis dans les starting-blocks...

Quoi qu'il en soit, pardonnez ma brutalité, mais je dois filer.

Il se trouve qu'un jeune homme, à l'aéroport de Baltimore, attend l'arrivée d'un avion, avec un ours en peluche, un gros bouquet de ballons et une jolie boîte de chocolats en forme de cœur.

Un jeune homme qui va se trouver bien mal en point lorsqu'il va s'apercevoir que Sammy n'est pas parmi les passagers.

Pour tout vous dire, je ne suis pas au bout de mes peines.

Parce que John, comme Gael, est un Romantique pur jus.

Ça promet !

Remerciements

Un grand et généreux merci aux nombreuses personnes (et lieux) qui ont permis à ce livre de voir le jour.

Merci à Annie Stone, pour ses inspirations géniales et sa disponibilité – je ne serais jamais arrivée au bout de cette aventure sans toi et je promets (d'essayer) à l'avenir de ne pas (trop) empiéter sur ton temps personnel. À Josh Bank, Sara Shandler, et la famille Alloy – l'équipe de brainstorming à laquelle je n'aurais jamais osé rêver. Un grand merci aussi à Emilia Rhodes pour s'être intéressée à mon écriture et avoir donné une chance à cette histoire. Et merci à Danielle Rollins – nos rendez-vous (presque) réguliers chez Rye se sont révélés bien plus productifs qu'aucune de nous ne l'aurait imaginé !

À Anne Heltzel, pour avoir adoré mon héros désespérément romantique autant que moi et pour avoir cru en ce livre de tout son immense cœur sentimental. Merci également à toute l'équipe d'Abrams – vous savez exactement comment vous y prendre pour qu'un auteur se sente soutenu.

À mon agent, Danielle Chiotti – vous décoiffez, toi et l'équipe d'Upstart Crow ! Merci, merci et encore merci !

À la ville de Chapel Hill pour m'avoir adoptée et permis de vivre quatre années formidables. À l'équipe de Cosmic Cantina : merci d'avoir assuré le service pendant quatre ans, et encore pardon d'avoir chipé la sauce piquante une ou deux fois. Si Chapel Hill est la « Mecque du Piment », c'est grâce à vous.

Merci à ma mère, à mon père et à Kimberly – qui non seulement me soutiennent dans l'écriture, mais sont aussi accros de cinéma que moi. Merci, maman, de m'avoir fait découvrir Hitchcock dans mon enfance. Merci, papa, de m'avoir emmenée voir tous les *Star Wars*, alors que le cinéma était à des kilomètres. Merci, Kimberly, d'avoir assuré la programmation « horreur » avec moi. Le héros de mon livre n'aurait jamais été fan de ciné sans vous. Et merci à Farley (mon chien adoré), je ne sais pas si les films que nous voyons ensemble te touchent, mais un jour tu t'en es pris tellement fort au méchant de *Sicario*, je crois que si.

Et enfin merci à ma bande de célibataires (et anciennes célibataires) new-yorkaises – merci d'avoir bravé avec moi les lieux de rencontres insensés de Brooklyn dans le but de nourrir une comédie sentimentale. Et merci à Thomas de m'avoir extirpée de ces mêmes lieux, et de n'avoir jamais craint de se montrer, et d'être, sentimental.

LEAH KONEN a grandi à la campagne, dans une petite ville de l'État de Washington, avant de déménager dans une banlieue de Caroline du Nord, beaucoup plus animée et riche en thés divers. Après des études de journalisme à l'Université de Caroline du Nord de Chapel Hill, elle est allée à New York poursuivre son rêve de devenir écrivain. Quand elle n'écrit pas – un roman ou des articles pour la presse ou la mode –, elle passe son temps à lire, gâter son chien Farley, faire du vélo à Brooklyn, suivre des concerts de musique live, et regarder la télé. Son roman Young Adult, *The Last Time We Were Us* est paru aux États-Unis au printemps 2016. Retrouvez-la sur son site *leahkonen.com*.

Composé par Nord Compo Multimédia
7, rue de Fives, 59650 Villeneuve-d'Ascq

Achevé d'imprimer en décembre 2016
par Normandie Roto Impression s.a.s à Lonrai
Dépôt légal : janvier 2017
N° 131523-1 (1605176)

Imprimé en France